나의 첫 번째 책

# 나의 첫 번째 책

권현정

이순영

조현지

엄태경(글소리)

최현영

이지영

김기완

글Ego

후보로 올랐던 책 제목에서 눈길을 사로잡는 낱말들이 있었습니다. 삶, 무지개, 분실물, 세대와 여행. 최종 선택된 제목에는 이 책의 과정이 드러납니다. 한편으로 버려진 제목들에는 우리의 세계가 드러난다고 생각했습니다.

글에는 써낸 이의 내면이 그대로 투영됩니다. 글을 쓰는 것을 어려워하는 사람도, 두려워하는 사람도, 귀중한 취미로 삼는 사람도 있는 까닭이 이 지점에 있을 것 같습니다. 마음을 타인에게 내보이는 것은 때때로 어렵거나 두렵고, 즐거우며 설레는 일입니다. 그렇기에 7인의 작가는 거듭 창작의 고통을 느끼며 결국 이 책을 완성해 냈습니다.

독자의 관점을 이야기해 볼까요? 글을 읽는 것은 다른 이의 마음을 들여다보는 일입니다. 사람마다 마음의 형태가 제각기 달라서 불편함을 느낄 수도, 새로운 세계를 체험할 수도 있겠지요. 이 글을 보고 계신 분들께서는 후자에 해당하시리라 짐작해 봅니다.

이 책에 실린 일곱 편의 이야기는 다양한 장르로 나뉘지만, 근본적으로는 다르지 않습니다. 출판사에서 '자아실현적 글쓰기'를 슬로건으로 내걸었듯 우리는 어떤 이야기를 세상에 들려주고 싶었습니다. 다양한 세대와 시대, 장소와 상황을 인물의 목소리를 빌려 펼쳐놓았습니다. 인물은 저자 본인이기도, 저자의 시각을 투영한 가상의 타인이기도 합니다. 삶의 단면, 더없이 선명한 하나하나의 사람, 잃어버리고 되찾은 것, 넘나드는 시공간. 그 속에서 개인은 단지 개인에 그치지 않습니다. 한 명 분의 세계로서 당신을 나의 삶으로 초대하고 싶었습니다. 나의 삶 한 자락을 세상에 오래오래 걸어두고 싶었습니다.

저는 종종 제가 지구에 불시착한 외계인이라는 공상을 합니다. 제 마음과 행동이 대다수 사람과는 무척 달라서 영영 지구의 궤도만 빙글빙글 돌지도 모르겠어요. 하지만 모든 사람은 타인에게 타인으로 존재하는 법이지요. 우리 중 순수한 '지구인'은 없을지도 모릅니다. 살아가다 보면 같은 행성 출신의 외계인을 만나는 날도 오겠죠. 저의 글은 고향이 같은 외계인에게 띄우는 골든디스크이기도 합니다. 그러나 순도 100%의 지구인에게 닿는대도 괜찮습니다. 당신이 저의 글을 읽고, 제가 모두의 글을 읽으며 우리는 '다른 세계로의 여행'을 떠납니다. 서로 다른 은하의 일곱 개의 행성을 경유지로 제시합니다. ADHD 아이와 그 어머니, 아흔을 앞둔 어머니와 딸, 반려견과 반려인, 타지를 떠도는 가족, 사랑에 빠진 사람, 직장인, 미래 인류. 극명하게 다른 사람들이지만 그들의 세계를 엿보며 공생의 요령을 깨달을 수 있지 않을까 조심스레 추측해 봅니다. 그러다 보면 이 땅에 살아가는 수많은 외계인도 조금은 더 자연스럽게 스며들 수 있겠죠. 어쩌면 당신까지 포함해서요.

이 머리말은 형식상 독자 여러분께 전하는 이야기입니다. 그러나 한편으로는 7인의 공동저자에게 제가 헌정하는, 무척 긴 한 편의 시이자 부제이기도 합니다. 분실물을 되찾기를, 모두의 첫 번째 책이 해피엔딩으로 끝나기를, 각자의 삶이 색색의 무지개처럼 수놓아지기를 이 지면을 빌려 소망해봅니다.

— 공동저자 中 조현지

# 차 례

# 엄마의 마지막 집

권현정

**권현정**   나의 첫 번째 책을 읽어주신다니 감사합니다.

사십 중반의 나이가 되어 내게 와주는 시간을 그냥 흘려보내기엔 너무 아쉽다는 생각을 하게 되었습니다. 시간 속 느끼는 생각과 감정들을 스토리로 기록하고 상상 속의 캐릭터와 인물 간 관계를 연구하는 일이 즐겁습니다. 이 소설은 제 외할머니를 모티브로 각색한 이야기입니다. 그래서인지 마지막 부분을 쓸 때 먹먹한 감정에 조금 힘들었습니다. 세상의 모든 어머니께 바칩니다.

"다시는 연락하지 마."

예상대로 언니의 통보였다.

지난 주말, 남편과 서울 언니 집에 갔었다. 언니가 무릎 수술을 해야 한다며 엄마를 좀 데려가 달라고 했기 때문이다. 초인종을 여러 번 누르고 소리를 치자 키가 더 작아진 엄마가 고개를 쓱 내밀었다. 엄마는 올해 들어 걷기가 더 힘들어져 보행보조가 없인 이동이 어려웠고 귀도 거의 들리지 않았다. 집에 들어가 보니, 언니는 마치 지금 수술 중인 사람처럼 방에 꼼짝없이 있었고 형부는 일요일 성당 모임에 나가고 없었다. 익숙한 무례함이었지만 그날도 기분은 썩 좋지 않았다. 엄마는 옷 몇 가지를 작은 가방 안에 돌돌 말아 야무지게 넣고 더딘 걸음으로 켜진 전등을 모두 끄러 다녔다. 더 어둡고 쭉쭉 쳐지는 느낌이 들었다. 드디어 현관을 나서려는데 엄마는 빠진 게 있다며 다시 절뚝거리며 안으로 들어갔다. 이어 언니의 큰 소리가 들리는 것 같아 나도 신발을 벗고 안방 쪽으로 향했다. 열린 문 사이로 엄마를 향해 떡하니 서 있는 언니가 보였다. 무릎 수술이 시급하단 소리가 사실일지 의구심이 들었다. 내가 방으로 들어가려는데, 갑자기 언니가 노인네가 무슨 돈이 필요하냐며 통장 꾸러미를 바닥에 내팽개치는 게 아닌가. 엄마를 30년 넘게 모셔왔고, 생신 때마다 식당 예약에, 병원검진도 챙겨준 사람이 언니였다. 그래서 나도 가능한 한 언니를 좋게 이해하려 했었다. 그러나, 이번 일은 도저히 참을 수가 없었다.

"언니, 엄마한테 너무 한 거 아니야?"

언니는 나를 노려보다가 한숨을 푹 쉬더니 돌아 들어가 버렸다. 침묵 속에 마치 다른 사연이라도 있는 것처럼 구는 치졸한 행동이었다. 옆에 있던 엄마는 비닐 커버 밖으로 날아간 통장들과 굴러간 도장을 줍는 데 여념이 없었다. 엄마가 그리 다정한 말투가 아니란 건 안다. 아마도 막내 사위가 기다리니 빨리 통장을 내놔라. 역정 냈을 수도 있다. 그래도 그렇지, 이건 도를 넘었다. 난 언니를 붙잡을 듯 따라 들어갔고, 언니는 돌아누워 끙끙거렸다. 뒤늦게 들어온 남편이 흥분한 나를 설득해서 엄마를 모시고 나왔다. 돌아오는 차 속에서 엄마는 이 상황을 아는지 모르는지 줄곧 잠만 잤다.

그렇게 엄마는 내 집으로 오게 되었다. 난 언니에게 다시 따져 물을 수도 있었지만, 그러지 않았다. 지금껏 언니가 엄마에게 하는 태도나 말투, 밥상에 올라가는 반찬까지 뭐 하나 맘에 든 게 없었던 차라 차라리 잘 되었다 생각했다. 언니 비위를 맞춰주며 엄마를 잘 부탁한다는 그런 가식은 그만 떨고 싶었다. 교대를 나온 언니는 교감까지 한 학교 선생님이었다. 형부는 원래 건설회사에 다녔는데 영업직이라 늘 밖으로 돌아다녔다. 처음엔 집에 두 조카를 봐주는 유모가 있었다. 그러나 애들이 장염에 감기몸살에 하루도 온전치 못했고 살림도 엉망이었다. 엄마가 이를 보다 못해 일을 그만두고 그 집에 들어가게 되었다. 처음 엔 모두 바빴고 애들도 어렸으니깐 별 탈 없이 지내는 듯 보였다. 그러 나, 형부는 엄마의 규칙적인 성격과 달리 자유분방한 사람이었다. 사 람과 술을 좋아하고 주말마다 골프 약속을 나갔다. 결국엔 형부가 잘 다니던 회사를 관두고 사업을 시작하면서 엄마와 갈등이 더 심해졌다. 또한, 엄마는 손자들에게는 규칙적인 생활과 강도 높은 공부를 시키 는 가정교사이기도 했다. 온화하게 웃으며 사탕 까주는 흔한 할머니의 모습은 찾기 어려웠다. 언니는 이런 기 센 형부와 엄격한 엄마, 그리고 안쓰러운 자식들 사이에서 스트레스를 받았다. 시간이 흘러 엄마가 늙 고 총기도 없어지자 언니는 슬슬 마음속에 있던 말들을 노모에게 쏟아 내기 시작했다.

"엄마 때문에 남편이 사업한다고 지방으로 가서 주말부부가 되었 지, 엄마 때문에 아들이 이런 집구석은 싫다며 미국으로 가버렸지, 엄 마 때문에 내 딸이 대인기피증처럼 방에만 처박혀 있지, 엄마 때문에 내가 원형탈모에 무릎이 나가 수술할 처지가 되었지…."

그러나, 내가 보기엔 엄마를 모든 문제의 원인인 듯 치부하고 언니 는 피해자 흉내를 내는 것 같았다. 솔직히 엄마 덕분에 알뜰살뜰 돈 모 아 집 두 채나 마련했고, 자식들도 건강하게 자랄 수 있었던 게 아니던 가. 언니가 엄마를 모신 게 아니라, 엄마가 언니 가족을 모신 것이나 다름없었다. 아무 말 못 하고 통장을 줍던 엄마의 모습이 계속 어른거려 마음이 아팠다. 그 통장은 평생 고생하며 자린고비로 살아온 엄마의 자존심과 같은 것이었다. 엄마에게 통장을 던졌던 언니로부터 다시는 연락하지 말라는 문자를 보자, 피가 거꾸로 솟았다. 혹시 언니가 본인 행동을 후회하고 미안하단 전화라도 하지 않을까 생각했었다. 그러나 그런 순진한 나를 비웃듯 온 짧은 문자는 '너 같은 동생은 필요 없다, 엄마를 더 못 모시겠다, 그냥 네가 알아서 해.' 라고 말하고 있었다. 어릴 적 언니는 엄마 대신 도시락을 싸주고 학교도 데려다주던 사람이었다. 엄마와 언니가 가족 전부인 나는 칼이 베인 것처럼 가슴이 시리고 숨이 턱턱 막혔다. 남편이 무슨 일이냐며 다가왔다. 난 아무 말 못 하고 떨리는 손으로 언니의 문자를 보여주었다. 남편은 한숨을 쉬더니 내 손을 잡으려 이렇게 말하는 것이었다.

"장모님이 사시면 얼마나 더 사시겠어. 양가 어른 중 유일하게 남으신 분이야. 그냥 우리가 모시자."

남편은 줄곧 한 회사에서 퇴사할 때까지 세 자녀의 뒷바라지에 양가 대소사를 챙기는 책임감 강하고 부지런한 사람이었다. 그런데, 5년 전 간 수치가 나빠져 급성간염이 와 쓰러진 적이 있었다. 그때는 혼수상태까지 가서 심각했었다. 다행히 위기는 넘겼으나 난 그때의 충격으로 심장이 불규칙하게 뛰고 호흡이 가빠오는 공황증상이 생겼다. 언니 문자를 받고도 비슷하게 힘들었다. 이런 내게 남편의 제안은 정말 감사한 일이었지만, 모라 표현하진 못했다.

'엄마, 이제 우리 집에서 같이 살아요.'

난 기운을 차리고 저녁 장을 보러 나갔다. 한가득 신선한 재료를 사와 푸짐한 저녁상으로 새로운 시작을 기념하고 싶었다. 엄마가 좋아하시는 돼지 앞다리를 부드럽게 삶고 남편이 좋아하는 나물 서너 가지를 팍팍 참기름에 무쳤다. 애호박과 두부를 숭숭 넣은 구수한 된장국 냄새가 퍼질 무렵, 흰 쌀밥이 다 돼서 '치익' 뜸 들이는 소리가 났다. 밥 냄새가 콧속으로 확 들어왔고 부엌 창밖의 노을을 보니 어릴 적 그날이 떠올랐다.

그날도 오늘처럼 하늘이 불타고 있었다. 느리고 평범한 하루가 질 무렵이었다. 학교를 마치고 운동장에서 놀고 있으면 중학교에 막 진학한 언니가 나를 데리러 왔다. 약 십 킬로나 되는 등하굣길을 걷는 게 힘이 들었지만, 엄마에게 버스값을 달라고 감히 말하지 못했다. 어차피 빨리 가봤자 집에 사람도 없고 딱히 할 일도 없던 차라 쉬엄쉬엄 걸어도 충분했다. 언니와 노래를 흥얼거리거나 들꽃을 좀 꺾어보는 등 별다를 것 없는 일상이었다. 변덕을 부리는 건 하늘의 구름 모양뿐이었다. 나는 그 모양이 세계 지도 중 어느 나라와 닮았나 맞추는 놀이를 했다. 낯설지만 설레는 세상으로 순간이동을 한 듯 신이 났다. 언니는 날이 저물고 노을이 지자 그 모습이 빨간 용암으로 떨어지는 불사조 같다고 했다. 그것도 꽤 괜찮은 해석이었다. 집이 가까워져 오자 다리가 아프고 배가 고파 걸음이 느려졌다. 언니는 내게 등을 보여주며 업히라 했다. 그러나 감자를 넣은 수제비를 해주겠다는 말은 전혀 반갑진 않았다.

"언니! 엄마 왔어!"

현관에 들어서니 뽀얀 밥 냄새가 났다. 부엌에서 들리는 탁탁탁 도마질의 속도가 바쁘게 막 돌아온 우리 엄마라는 걸 확신할 수 있었다. 쏜살같이 달려 들어가 엄마를 와락 안고 싶었지만 무표정한 엄마를 보니 용기 내지 못했다. 엄마는 늘 감정을 드러내는 법이 없었다. 그것이 무관심이 아니라 단순한 피곤함이란 걸 알고 있었기에 차려진 밥상 앞에 언니와 조용히 앉았다. 엄마는 우리를 자세히 쳐다보며 잘 있었느냐 물었다. 오랜만에 맛보는 흰 쌀밥과 된장찌개면 엄마의 사랑은 충분했다.

"지숙아, 미숙아… 엄마랑 셋이 서울 가서 살자."

난 그 말에 깜짝 놀라 언니를 바라보았다. 언니도 고개를 들어 나를 향해 살짝 미소 짓고 있었다. 내게 서울이란 구름 속에서 그리던 미국이나 중국보다 더 큰 대륙처럼 느껴졌다. 드디어 가족 완전체로 엄마의 신혼 시절을 보낸 이곳을 떠나는 것이었다. 언니 말론 아버지는 내가 태어나기 전 돌아가셨는데, 키가 크고 잘생긴 경찰이었다고 했다. 나만 유일하게 아빠를 닮아 키가 크다며 부러워했다. 엄마는 혼자가 되고 처음엔 이웃인 고모네 일을 돕다가 어느 날 돌연 서울로 가버렸다. 홀로 독하게 공부한 엄마는 서른다섯의 나이에 비로소 공무원 시험에 합격했다. 요즘 말로 그 시대 커리어우먼에 싱글맘이었던 것이다. 난 심심한 시골보다 화려한 도시가 더 좋았지만 구름을 보며 상상의 나래를 펴는 일은 그 뒤론 없었다.

우리 집에 온 아흔의 엄마는 살이 많이 빠져있었다. 처음엔 밥상을 차리고 불러도 별로 입맛이 없다며 잘 오지 않았다. 거실이 춥다는 엄마에게 양털 조끼를 입히고 수면 양말도 신겼다. 엄마는 힘이 많이 드는지 당최 움직이려 하지 않았고 매번 큰 한숨만 쉬었다. 가끔 네 언니 연락은 없냐 묻는 정도였는데, 유감스럽게도 엄마의 약과 겨울옷들을 말도 없이 택배로 보낸 게 전부였다. 엄마의 유일한 낙은 아침마다 드리는 종이 신문을 꼼꼼히 읽으시는 것이었다. 가끔 사위와 뉴스를 보며 요즘 경제와 정치에 대해서 한마디씩 거들며 본인의 의견을 어필하기도 하였다. 엄마는 우리 집에 오고 한 계절이 지나자 새로운 환경에 적응했는지 잘 먹고 얼굴에 생기가 돌았다. 그런데 문제는 이즘부터였다. 고단백 반찬을 매끼 먹어서 대소변의 양이 일단 늘었다. 최소 4시간에 한 번씩 알람을 맞추어서 내가 꼭 엄마의 기저귀를 갈아줘야 했다. 여간 귀찮고 힘든 게 아니었다. 더구나 장염 증상도 있어 자주 오물이 밖으로 샜다. 바지, 침대, 앉았던 소파 등 동선에 맞추어 흔적들이 쭉 남았다. 지독한 구린내가 집 안에 늘 퍼져있었다. 처음엔 걸레들고 엄마를 쫓아다니며 다 닦았다. 엄마는 본인 바지가 축축해도 잘 알아차리지 못했고 아무 냄새도 안 난다며 오히려 내게 유난 맞는다고 했다. 끝이 없는 빨래와 걸레질에 손목이 부서지는 것 같았다. 나도 모르게 날카롭게 말이 자주 나갔다.

"엄마! 대체 이게 몇 번째야? 얼른 씻으러 가자!"

무력으로 엄마를 일단 샤워 의자에 앉히고 흠뻑 젖은 바지를 내렸다. 날씨가 더워지자 엉덩이 쪽 욕창도 더 늘어가는 것 같았다. 물이 닿으면 많이 아플 텐데 엄마는 피부 감각이 무뎌졌는지 별 반응이 없었다. 새 옷으로 갈아 입히고 의사가 하라는 대로 흉터 부분 소독까지 마쳤다. 온몸에 땀이 주르륵 흐르고 현기증이 났다. 또 문제는 엄마가 귀가 잘 안 들려 소통이 잘 안 된다는 것이었다. 말을 할 때 목소리를 최대로 높여 반복해야 했다. 더군다나 절약 습관이 몸에 밴 엄마는 잠깐 자리만 비우면 켜둔 전깃불을 끄고 폭염에 에어컨, 선풍기까지 전기제품을 끄고 다녔다. 난 불안장애 신경 약을 먹고 있었는데 최근엔 불면증에 편두통까지 생겨 약을 더 추가해야만 했다. 이 와중에 엄마는 늘 거실 소파에서 신문을 1시간씩 보았고 밥은 30번 이상 쩝쩝거리며 씹어 먹었다. 그리고 시계를 보다가 식후 30분이 되면 본인 혈압약을 빠짐없이 챙겨 먹었다. 꼭 봐야 하는 뉴스와 드라마가 있었는데 그 시간이 되면 꼭 5분 전에 나와 TV를 크게 트셨다. 엄마의 한평생 흐트러짐 없는 고정된 루틴이 날 점점 불편하게 했다. 처음엔 처져 있는 엄마가 안쓰러워 자꾸 거실로 나오라 불렀는데 그냥 엄마 방에 TV를 놔드릴까 고민하고 있었다. 엄마를 재우고 설거지를 시작하는데 이마에 땀이 주르륵 흘러 눈물이 되어 따가웠다. 남편이 다가와 괜찮냐고 물었다. 순간 정말 괜찮은 건지 나도 모르겠단 생각이 들었다. 남편은 대꾸 없이 한숨만 쉬는 나를 옆으로 밀더니 대신 설거지를 해주었다.

"당신, 정신과 약은 잘 먹고 있지?"

남편의 질문에 어제 약을 먹지 않았단 것을 깨달았다. 요즘 그냥 막화가 나다가 이유 없이 불안하고 무서운 생각이 들었다. 엄마를 모시는 건 생각했던 것보다 더 힘이 들었다. 엄마를 바로 앞에서 구박하고 짜증 난 말투로 대할 때가 늘어갔다. 그리고 돌아서면 죄책감에 나쁜

딸이 된 것 같았다.

"엄마, 할머니 내년이면 아흔이야. 이젠 정말 요양원 알아봐야 한다니깐."

시집간 큰딸이 내게 전화를 걸어 잔소리를 늘어놓았다. 유아들이 때가 되면 어린이집에 가듯이 노인들도 때가 되면 요양원에 가야 한다는 것이었다. 미련하게 고생하지 말고 합리적으로 판단하라며 자식이라고 꼭 부모를 모시란 법은 없다고 말했다.

"야, 너도 엄마 늙으면 바로 요양원으로 보낼 거니?"

듣다못해, 퉁명하게 쏘아붙였다. 딸은 바로 아니라고 답하지 못했고 장남이 있는데 뭐가 걱정이냐며 얼버무렸다. 가끔 상상해보았다. 나이가 들고 남편이 먼저 저세상에 가버리면, 나 혼자 살 수 있을까? 내 집과 익숙한 동네를 떠나 씩씩하게 요양원으로 갈 수 있을까? 쾌쾌하고 냄새나는 노인들에 둘러싸여서 연락 없는 자식을 하염없이 기다리다 결국 죽음으로 가는 그런 삶이 아닐까? 나의 말년도 크게 다르지 않을 것 같다는 생각에 서글픈 생각이 들었다. 엄마가 자러 들어가면, 자꾸 눈물이 나왔다. 남편은 체력이 많이 떨어지면 우울 증세가 따라올 수 있다며 병원에 가자고 권했다.

"아니야. 이 정도는 각오했었어. 엄마는 치매도 아니고 어디 크게 아픈 것도 아닌데. 이거 갖고 요양원 가시게 하면 남들이 욕해."

많이 힘이 드냐는 남편의 질문에 나도 모르게 요양원이란 단어가 튀어나와 깜짝 놀랐다. 주변서 자꾸 요양원 이야길 꺼내 나온 말이라 핑계를 대며 남편을 바라보았다. 남편의 얼굴에도 엄마 못지않은 주름이 자글거렸다. 엄마가 집에 있지 않았더라면 퇴직 후 좋아하는 등산도 다니고 옛 친구들도 만나러 다녔을 것이다. 환갑 생일을 맞아 예약했던 첫 해외여행도 취소한 남편이었다. 처음엔 장모님에게 말도 걸어주고 산책도 억지로 데리고 가던 사람이었는데, 언제부턴가 내 눈치를 보며 무인카페에 있다 오곤 했다.

"박 서방이 단풍놀이 모시고 간데. 엄마 생신이잖어!"
난 들떠서 엄마 입을 옷과 모자를 챙기고 있었다. 엄마는 못 들은 척 대꾸가 없었다. 대신 구겨진 인상으로 가기 싫단 뜻을 전하고 있었다. 몇 주 전부터 남편이 엄마 생일에 맞추어 호숫가에 있는 레스토랑을 예약해두었다고 했다. 엄마 컨디션이 걱정되었지만 난 드라이브 삼아 가보면 좋을 것 같다고 동의했다. 엄마도 나의 성화에 못 이겨 결국 차에 탔다. 엄마의 휠체어도 차에 싣고 추울까 봐 목도리와 핫팩도 챙겼다. 주말이라 차가 꽤 막혔다. 그래도 간만에 집에서 멀어지는 게 신이 났다. 엄마는 바로 잠이 들었고 난 창밖을 하염없이 바라보았다. 울긋불긋 단풍나무 가로수 길옆에 분홍색 코스모스가 장관이었다. 1시간 넘게 걸려 드디어 식당에 도착했다. 이국적인 하얀 건물과 화려한 꽃 장식 그리고 둥근 계단이 유럽식 궁전 같았다. 그런데 식당 입구로 가려면 높은 계단을 올라가야 했다. 휠체어는 가파른 계단을 올라가지 못했다. 결국, 남편이 엄마를 힘껏 일으켜 세웠다. 그때 아래쪽에서 지린내가 올라오는 것 같았다. 뒤를 보니 역시나 엄마 바지가 젖어있었다. 출발 전에 엄마 기저귀를 갈고 온다는 것을 깜빡했다. 남편은 찌푸린 얼굴을 한 내게 금방 먹고 오자며 엄마를 부축해 입구까지 갔다. 난 혹시 몰라 갖고 다니는 방수 방석을 챙겼다. 역시나 유명한 곳이라 사람이 많았다. 예약 확인이 되었는데도 점원이 밖에서 대기하라고 했다. 엄마는 어디 앉지도 못한 채 추워서 웅크리고 있었다.

"아니, 이보세요. 지금 노인네가 덜덜 떨고 있는 거 안보여요?"

난 점원에게 소리를 빽 지르며 항의하였다. 순간 모든 사람이 우리 쪽을 바라보았다. 이 좋은 날에 왜 저러나 하는 표정들이었다. 난 얼굴이 화끈해졌고 점원은 로봇 같은 말투로 죄송하다고 말했다. 그런데 엄마는 이번엔 귀가 잘 들렸는지 오히려 점원을 두둔했다.

"아가씨, 미안해요. 이런 늙은이가 이런데 온 게 잘못이지. "

엄마의 말투가 너무 점잖고 고상해서, 좀 전 나의 태도는 비난받아 마땅한 셈이 되어버렸다. 남편이 외투를 벗어 엄마에게 덮어주려 하였다. 엄마는 괜찮다며 손사래를 치다가 결국 옷을 입었다. 주변 사람들이 겸손한 장모와 착한 사위가 보기 좋은지 환한 미소를 지으며 쳐다보고 있었다. 나만 이상하고 무식한 사람이 된 것 같았다. 곧 우리 차례가 되었고 점원이 아까와는 달리 친절한 말투로 엄마부터 자리를 안내했다. 호수가 보이는 둥근 테이블에 남편이 주문한 런치코스가 나왔다. 마늘 빵과 파스타, 스테이크까지 느끼한 맛이 오랜만이었다. 난 솔직히 김치가 생각났고 남편도 피클을 자꾸 시켜 먹고 있었다. 그에 반해 엄마는 따로 시켜준 하우스 와인까지 곁들어 잘라준 스테이크를 모두 비웠다. 그러면서 고작 하는 말이 언니 무릎에 관해 묻는 말이었다. 언니 수술은 잘 되었는지, 누가 간병하고 있는지, 돈은 많이 안 들었는지 등 왜 그걸 내게 묻는지 이해가 되지 않았다.

"엄마는 언니한테 그런 수모를 당하고도 아직도 걱정되우? 그럼, 직접 전화해봐요!"

아까부터 참았던 불편한 감정이 튀어나왔다. 이 상황에서 내가 들어야 할 말은, 네 덕분에 이런데도 오고 너무 맛있다, 고생이 많고 고맙다 뭐 그런 말들이라고 생각했다. 마지막으로 디저트와 차가 나왔다. 그때, 옆 테이블로 한 가족이 들어왔다. 어린 꼬마가 자꾸 우리 쪽을 바라보며 킁킁거렸다. 그러더니 여기 똥냄새가 난다며 엄마 쪽을 가리키며 소리쳤다. 시간이 많이 흘렀으니 그럴 만도 했다.

빨리 자리를 떠서 집으로 돌아왔다. 바로 엄마를 화장실로 데리고 가 샤워를 시키고 기저귀를 갈았다. 오랜만에 단풍 구경으로 들뜬 기분은 싹 사라지고 다시 꿉꿉한 현실로 돌아왔다. 내 삶은 엄마 때문에 완전히 바뀌었다. 아이들 다 독립시키고 남편과 등산도 다니고 여행도 다닐 계획은 쉽게 무너졌다. 내가 자진해서 엄마와 같이 살겠다고 시작한 것인데 막상 현실은 끊이지 않는 과제를 허덕거리며 하는 기분이었다. 엄마는 새 옷으로 갈아입고 거실 중앙에 앉아 TV를 틀었다. 그리고 어디론가 전화를 걸었다. 수술 이야기를 하는 걸 보니 상대방은 언니인 것 같았다. 난 화장실 청소를 하다 말고 무슨 이야기를 하는지 엿들었다. 엄마는 언니에게 고생이 많았다면서 본인은 아주 잘 있다고 했다. 아까 식당 점원에게 말하듯 따뜻하고 정돈된 말투였다. 그러더니 내 이야길 꺼냈다.

"응. 여기 미숙이도 별일 없이 잘 있어."

아픈 허리를 굽힌 채 솔질을 하는 나의 등줄기에는 미친 듯이 땀이 흐르고 있었다.

'아니, 나 힘들어, 엄마 때문에 너무 힘들어.'

엄마는 언니와 통화가 끝나자 TV 볼륨을 최대로 높였다. 그 소리가 너무 시끄러워 속이 갑갑해 왔다. 나도 모르게 화장실에서 뛰쳐나오며 엄마에게 쏘아붙이듯 말했다.

"엄마는 언니는 걱정되고, 난 걱정 안 돼?"

엄마는 물끄러미 나를 바라보았다.

"엄마는 늘 그랬어. 언니만 신경 써줬어. 어릴 적에 비싼 한약도 사다 먹였잖아. 내겐 갖은 심부름과 집안일을 시키더니 결국 언니만 공부시켰잖아! 엄마도 알잖아. 내가 언니보다 공부 더 잘한 거!"

내 목소리가 흥분하여 점점 커지자, 남편이 뛰쳐나와 나를 데리고 방으로 들어갔다. 난 숨을 잘 쉬기가 어려웠다. 심장박동수가 매우 빠르게 뛰었다. 이런 나를 남편이 꼭 안으며 그만하라고 계속 중얼거렸다. 그날 밤에도 잠이 잘 오지 않았다. 난 잘 듣지도 못하는 엄마에게 뭐하러 화를 냈을까? 엄마는 늘 언니를 더 좋아했던 것 같았다. 언니가 나보다 왜소하고 자주 아파서였을까? 남편이 없으니 장녀에게 의지하고 싶었을까? 편애받는다고 생각한 나는 어릴 적부터 인정받고 싶어서 학교 공부를 열심히 했다. 상경계 고등학교였지만 반에서 1등을 놓친 적이 없었다. 이 담에 대학에 합격하면 장학금도 받고 과외로 돈을 벌어 지도에서 본 국가들을 가보는 게 내 꿈이었다. 그럼 외국계 회사에 취업할 수도 있고 해외 출장도 많이 다니면 돈도 많이 벌 수 있으리라 생각했다. 그러나, 엄마가 고3 수험생인 나를 불러 여느 은행의 보조사원으로 취업하라고 했을 때 내 희망은 나만의 몽상이었다는 사실을 깨달았다. 언니는 당연히 대학에 갔지만, 난 바로 돈을 벌어야 했다. 그때 속으로만 싫다고 대답했을 뿐, 결국 엄마에게 복종했다. 이렇게 나이를 먹고서도 그때 엄마에게 싫다고 말했으면 어땠을까 가끔 생각해 보았다.

길거리의 화려했던 단풍잎이 다 떨어지고 앙상하게 나뭇가지만 남았을 무렵, 남편이 나를 데리고 카페로 나갔다. 카페 안엔 평일 낮인데도 사람들이 많았다. 예쁜 선남선녀 커플부터 조잘거리는 교복 입은 학생들, 중년의 양복 입은 사내들 등 무슨 사연이 그리 많은지 시끄럽고 활기찼다. 남편이 커피와 조각 케이크까지 사서 테이블에 내려놓았다. 난 머그잔을 두 손으로 감싸 안고 커피 향을 맡았다. 편두통이 좀 나아지는 것 같았다.

"여보, 고마워."

내 말에 남편은 어색해하며 엉거주춤 의자에 앉았다. 남편은 케이크 조각이 다 없어질 때까지 말이 없다가 진지한 얼굴로 나를 쳐다봤다.

"장모님 말이야. 근처 요양원으로 모시는 게 어떨까? 당신 너무 힘들어 보여. 몸도 몸이지만 정신적으로 매우 불안해 보여."

직설적인 남편의 말에 깜짝 놀랐다. 그래서 나를 카페로 불러 예쁜 케이크를 사준 것이었나, 정신이 멀쩡한 엄마를 요양원으로 보내자고 말하는 남편이 야속했다. 그런데도 난 바로 정색하지 못하고 가만히 있었다. 솔직히 엄마가 없으면 좋겠단 생각을 해본 적이 있기 때문이었다. 무능한 불효녀라는 죄책감도 늘 동반되었다. 남편은 요양원의 장점에 관해서도 덧붙였다. 정부에서 엄마 건강 상태를 검사하고 등급을 매기는데 그러면 요양원 금액이 더 저렴해진다고 하였다. 시사 다큐에서 본 이상한 악덕 시설은 아주 일부에 불과하니 불안할 필요가 전혀 없다고 말했다. 난 계속 아무 대답도 할 수 없었다. 이 힘든 상황에서 벗어나고 싶었지만, 엄마가 혼자 어디론가 가실 생각을 하면 막상 가슴이 메어왔다.

"사실은, 말이야…. 장모님이 먼저…. 내게 꼭 좀 알아봐 달라고 부탁하셨어."

고개를 떨구고 있던 내게 남편이 읊조리듯이 말했다. 한 달 전쯤 엄마가 남편을 따로 불러 심각하게 부탁을 했다고 했다. 무난하고 저렴한 요양원으로 알아봐 달라고. 더는 자식들을 고생시키기 싫고 본인도 마음 편히 지내고 싶다고 했다고 했다. 갑자기 참던 눈물이 와락 쏟아졌다. 무어라 형용할 수 없을 만큼 마음이 아팠다. 엄마는 어떤 마음으로 남편에게 그렇게 말했을까? 이미 며칠 전에 연락받은 요양원에 엄마와 함께 가보았는데 시설도 나쁘지 않고 무척 사람들이 친절했다고 했다. 남편은 내게 바로 이야기하려 했으나 엄마가 계속 비밀로 해달라고 신신당부를 해서 말하지 못했다며 미안하다고 말했다. 그러면서 내일이 바로 엄마 요양원 입소일이라고 했다.

"내일?"

가슴이 쿵 내려앉았다. 이렇게까지 내게 말하지 않고 진행한 남편이 미웠다. 엄마도 왜 내게 상의 없이 이런 결정을 한 걸까? 지금까지 공들여온 무언가가 와르르 무너지는 느낌이 들었다. 그러나, 난 남편에게 당장 취소하라고 말하지 못했다. 아쉽고 속상한 마음 저편에는 후련하고 평온한 마음이 밀려오고 있었다. 식은 커피를 한 모금 마시고 멍하게 있었다. 엄마의 마지막 집은 우리 집이길, 엄마의 마지막 시간을 아름답게 채워주겠다는 내 결심은 모두 가식이었던 것이었다. 기운 없이 남편과 집으로 돌아왔다. 낮잠을 자고 거실로 나온 엄마와 눈이 마주쳤다. 난 무얼 들킨 사람처럼 엄마를 똑바로 쳐다볼 수가 없었다. 아무 말도 할 수 없었다.

다음 날 아침이 밝았다. 엄마는 평소와 달리 신문을 읽지 않고 본인 방에서 짐을 챙기고 있었다. 아침 식사는 차려져 있었으나 아무도 먹지 않았다.

"엄마, 나 미장원 예약한 게 있어서 나가요."

난 잠시 엄마 곁을 서성이다가 거짓말을 하고 집을 나와 버렸다. 오늘따라 날이 더 쌀쌀하고 바람도 세게 불었다.

'엄마, 목도리는 챙겨 가실까, 신발이 많이 낡았던데 새 신발 사드릴걸.'

그냥 앞만 보고 걸어갔다. 눈에 들어오는 정보들을 읽을 수가 없었다. 동네 간판들이 낯설어 길을 잃을 것 같고 신호등 빨간불에도 걸어나가려 했다. 지금쯤이면 엄마는 집에서 나왔을 것이다. 이제 차에 탔을 것이다. 요양원 입구에 도착했을 것이다…. 마음이 복잡하고 어수

선했다. 걷다 보니, 천 변에 오리 떼가 보였다. 앞장선 엄마 오리 뒤로 새끼들이 일렬로 따라가고 있었다. 내게도 엄마는 맨 앞 대장 같은 사람이었다. 남편 없이 고생만 한 엄마, 투박해도 따뜻한 엄마, 평생 쓸 줄 모르고 아끼기만 한 엄마.

조금 후, 남편으로부터 문자가 왔다.

"장모님 잘 들어가셨어."

안도하면서도 먹먹한 마음에 한동안 상가 앞 벤치에 앉아있었다. 세상은 멈춘 것처럼 조용하기만 했다. 막상 변하는 건 크게 없었다. 엄마가 좋아하는 찹쌀떡을 사던 떡집에 김이 모락모락 나고 있었다. 다시 집으로 들어왔다. 늘 들리던 TV 소리가 없고 거실도 텅 비어있었다. 엄마 목도리를 챙겨갔나 확인하러 방으로 들어갔다. 정갈하게 이부자리가 정리되어 있었고 그 위에 흰 봉투 하나가 놓여있었다. 겉표지에 '미숙에게'라고만 적혀있었다. 안을 들여다보니 오만 원 권이 꽤 들어있었다. 엄마가 언니 집에서 나올 때 꼭 통장을 가져오려 했던 이유 같았다. 엄마의 꼭꼭 눌러쓴 내 이름글자에 이별의 아쉬움이 느껴졌다. 엄마에게 더 잘하지 못하고 화를 냈던 게 자꾸 떠올랐다. 남편이 곧 들어왔다. 엄마가 미숙이 미장원에서 돌아올 때 되었으니 남편을 얼른 가라 재촉했다고 했다. 그 말을 듣자마자 남편을 안고 엉엉 한참을 울었다. 남편도 같이 흐느끼며 요양원 사람들이 좋고 분위기도 밝으니 너무 걱정하지 말라며 위로해 주었다.

남편과 난 아침 일찍 등산을 나섰다. 산길을 걸으며 계절을 느끼고 산채 비빔밥으로 점심을 먹었다. 단골 떡 가게에서 방금 나온 쫀득하고 앙금이 가득 찬 뽀얀 찹쌀떡 한 상자를 샀다. 덤으로 받은 찹쌀떡 한 개를 반으로 쪼개어 운전하는 남편 입에 넣어 주었다.

요양원 엄마를 보러 가는 길이었다. 건물 안으로 들어가니 휠체어에 탄 엄마가 우릴 보고 환히 웃어 주고 있었다. 요양원 사람들도 뭘 이런 걸 자꾸 사 오냐며 찹쌀떡을 맛있게 먹어주었다. 요양사 매니저는 지난주에 엄마가 감기몸살 때문에 비타민과 소염진통제 링거를 맞았다고 알려 주었다. 다음 주엔 언니와 형부도 엄마를 보러 내려온다고 연락이 왔다고 했다.

그 옛날, 두 딸을 더 좋은 환경에서 키우고자 상경을 결심했듯, 이젠 노모가 된 엄마는 두 딸에게 짐이 되지 않고자 홀로서기 중이다. 다행히 요양원의 도움을 받아 잘 지낸다니 감사할 뿐이다. 머지않아 엄마와 영영 이별해야 할 때가 올 것을 알고 있다. 그 슬픔도 담대히 맞서 잘 보내드릴 수 있도록 마음의 준비를 하고 있다.

그래도 괜찮은 인생이었다고 엄마가 행복하게 눈감을 수 있으면 좋겠다.


아까부터 엄마는 요양원 침대매트를 정리하고 있는 나를 물끄러미 바라보고 있었다.

"너도 많이 늙었구나."

엄마가 내 손을 꼭 잡아주었다.

요양원을 나서는데 겨우내 얼어있던 나뭇가지에서 연초록 순이 곧 나오려고 하고 있었다. 다음에 오면 엄마와 같이 노란 개나리와 분홍빛 진달래를 구경할 수 있을까?

애절한 소망을 품으며 집으로 향했다.

# 11살 미호

이순영

**이순영** 20여 년 동안 영어 교육 현장에서 학생들의 영어 학습뿐만 아니라 일반
인, 부모님 대상으로도 영어 교육을 진행해 오고 있다. 책 읽기, 독서토
론, 서평 쓰기, 달리기를 통해 삶의 풍요로움을 만끽하고 있다. 11살인 반
려견 미호가 전해주는 온기로 세상 살아갈 힘을 얻으며 나 또한 미호에
게 삶이 주는 달콤함을 선물하고 있다.

blog: https://blog.naver.com/anyevent

## 미호를 만나기까지

　나에게 반려견 미호는 그동안 어떤 존재였을까? 미호를 처음 만났을 때가 떠오른다.

　당시 초등학생이었던 딸은 맞벌이 부모가 항상 곁에 있어 주지 못한다는 점 때문에 곁에 자기와 있어 줄 고양이를 원했다. 고양이라면 질색했던 터라 딸에게 고양이의 온갖 가구를 긁어대는 발톱, 높은 곳에 올라가는 습성, 분비물의 지독한 냄새, 사방으로 날리는 털, 밤에 번뜩이는 안광, 등등 고양이에 대한 온갖 좋지 않은 점을 나열했다. 고양이에 대한 나의 선입견은 과할 정도였기에 딸과 결국 타협으로 내세웠던 게 강아지였다. 강아지를 딱히 좋아하지 않았던 딸은 나와의 실랑이가 부담스러웠는지 잠시 주춤했다.

　어느 날 딸은 나와 아무런 상의도 없이 무턱대고 학교 앞에서 햄스터 한 마리를 사 왔다. 햄스터가 귀엽기는커녕 쥐를 닮은 모습이 내키지 않았지만 하루종일 혼자 쓸쓸히 엄마를 기다리는 딸아이를 생각하니 오히려 잘됐다 싶었다. 딱히 반대하지 않는 나를 보니 스스로 용기가 생겼는지 딸은 한 마리는 외로울 것 같다며 다음 날 한 마리를 또 데려왔다. 나중에 밝혀진 바로 두 마리는 암수였던지 새끼 다섯 마리를 낳았다.

딸은 처음 이틀 정도는 암수 두 마리 햄스터를 돌보나 싶었는데 그 이후로 나 몰라라 했다. 햄스터의 수명이 최대 2년 정도라 했는데 수명이 다할 때까지 나는 어쩔 수 없이 일곱 마리 햄스터를 키웠다.

몇 달이 지난 후 딸아이는 고양이가 아니어도 좋으니 이번엔 강아지를 키우고 싶다고 했다. 난 햄스터 일을 들먹거리며 딸에게 도저히 다른 생명체를 키울 자신이 없다고 말했지만, 혼자 외로워할 딸아이가 또 눈에 밟혀 허락하고 말았다.

딸은 꼭 찝어 강아지 종 중에 스피츠를 원했다. 진돗개, 삽살개, 시츄는 들어봤으나 스피츠는 한 번도 들어보지도 못한 품종이었다.

2014년 2월 어느 날, 시동생이 2개월 된 스피츠를 데려왔다. 시동생은 강아지 경매일을 하는 지인에게서 얻어왔다고 했다. 그때까지만 해도 난 강아지 입양에 대해 무지했었고 강아지를 데려오는 루트도 심각하게 생각하지 않았다.

상자에 담겨온 새끼 스피츠는 눈동자가 새카맣고 두 손에 쏙 들어갈 만큼 크기가 작았다. 물론 새끼니까 그랬겠지만 말이다. 강아지를 의자에 올려놓으니 멀뚱멀뚱 쳐다보는 그 눈길에 세상에 순수하고 깨끗하고 무해한 존재가 있다면 바로 이 아이일 거라고 생각했다. 시동생이 사료와 물그릇, 밥그릇, 방석 겸 침대, 배변 패드를 가져온 덕분에 첫날은 우왕좌왕하지 않을 수 있었다.

딸아이는 강아지가 구미호처럼 새하얗게 생겨 구미호에서 '구'자를 빼고 '미호'라고 이름을 붙여줬다. 영어 이름으로는 '로미오'가 어울린다고도 했다. 패드를 펜스 안에 넣어주고 배변훈련을 시켰다. 첫날부터 미호는 배변을 잘 해냈다. 사료는 물에 조금씩 불린 것을 주었고 신선한 물도 준비해줬다.

어느 날 목욕을 시킨 후 드라이기로 말려줬는데 미호가 드라이기 전선을 이빨로 물어뜯었다. 미호를 목욕시키고 난 후 조금 미지근한 바람으로 말려주었어야 했는데 추울까 봐 따뜻한 바람으로 말려주었더니 아마도 스트레스를 받았나 보다. 미호는 자신을 뜨겁게 해준 드라이기에 화풀이했던 것인데 우리는 미호가 못된 행동을 했다고 넘겨짚었다. 그날 이후로 우리는 혹시 미호가 집에 아무도 없으면 여기저기 돌아다니며 위험한 행동을 할 것 같아 펜스 안에 미호를 넣어두고 집을 나섰다. 우리는 강아지 행동에 대해 깊게 생각해보지 않고 오로지 사람의 관점에서만 미호를 판단했다. 우리가 저녁에 집에 도착할 때까지 미호는 몇 달 동안 하루종일 혼자 펜스 안에서 우리를 기다렸다.

## 미호에게서 눈에 젖은 손 장갑, 추억의 냄새를 맡다

　어느 날 가족들이 집에 도착할 때까지 하루종일 펜스에만 갇혀 지냈던 미호를 봤다. 이건 아니다 싶었다. 미호가 얼마나 갑갑하게 느낄지 그제야 깨달았다. 드디어 실행 날이 다가왔다. 펜스를 없애고 미호를 그냥 거실에 풀어줬다. 모두 출근과 학교를 위해 집에서 나온 날, 하루종일 신경이 쓰였다. 불안해서 안절부절못했다. '혹시 미호가 집안 이곳저곳을 다니면서 변을 보지 않을까?', '소변을 묻히지 않을까?', '가구를 물어뜯지 않을까? 바닥에 떨어진 무언가를 삼켜 기절하지 않을까?' '살아있겠지?' 별의별 걱정과 불안이 꼬리에 꼬리를 물고 사라지지 않아 머리가 지끈거렸다. 집에 도착한 나는 심호흡을 하고 현관문을 열었다. 문을 열자마자 미호는 기쁘다는 듯이 꼬리를 연신 흔들어댔다. 어쩌면 자신을 버리고 모두 어디론가 가버렸다고 생각에 두려웠을지도 모른다.

　두려움과 외로움을 온몸으로 감당한 미호를 힘껏 안아줬다. "이제 괜찮아"라고. 그날 이후 미호에게 "다녀올게"라고 말했다. 미호를 안심시켜야 했기에 눈빛으로 말로 행동으로 표현했다.

　미호는 스피츠 품종 중에서도 사자의 갈기처럼 풍성한 털이 일품이었다. 그 때문인지 미호의 온몸을 감싼 풍성한 털로 지나가는 개들에게 위협적인 존재가 되었던 모양이었다. 미호가 지나갈 때마다 동네 개들은 으르렁거리기 일쑤였다. 특히 작은 크기의 강아지들이 더했다. 미호는 사교성이 없어 그런 강아지들을 멀뚱멀뚱 쳐다보기만 하고 전혀 짖지를 않았다. 한 번도 다른 강아지들에게 짖는 것을 본 적이 없었다. 너무 순한 미호가 좀 더 사나워지기를, 자기에게 짖어대는 다른 강아지들에게 좀 더 앙칼스럽게 대했으면 했다.

겨울이 되자 눈이 오는 날에도 산책을 했다. 미호는 풍성한 천연 자기 털로 따로 강아지 옷을 입히지 않아도 되었다. 눈은 미호 털에 떨어지자마자 금세 녹았다. 집에 돌아와 수건으로 미호를 닦아주고 난 후 힘껏 안아주면 미호 털에서 마치 어렸을 때 눈을 뭉쳐 젖은 손 장갑 냄새가 났다. 수십 년간 잊고 있었던 추억의 냄새가 미호로 인해 다시 살아났다. 그 냄새가 너무 그리웠던 탓일까. 한참 동안 미호 털을 코로 킁킁거리며 어린 시절의 추억을 만끽했다.

# 동물을 대하는 자세

우연한 기회에 뉴스 프로그램에서 대전경찰특공대 탐지견 6살 '럭키'를 알게 되었다. 럭키는 국가 주요 행사나 안전 검측, 실종자 수색, 폭발물 신고 등 약 200회 이상의 임무를 수행해왔다. 하지만 럭키는 원인 미상의 종괴 발생 후 불과 3개월 만에 급성 혈액암 전신 전이 진단을 받았다. 더이상 치유 가능성이 없어 안락사하는 것이 좋겠다는 전문의 소견에 특공대원들은 럭키와 마지막 인사를 해야만 했다. 럭키의 핸들러였던 경사는 국가 주요 행사나 실종자 수색할 때 사람이 없는 곳에서 서로 의지하면서 임무를 수행했다고 한다. 동물 이전에 어렵고 힘든 임무를 함께 했던 동료로서 경찰들은 럭키의 안장식에 진심을 담은 예의를 갖춰 럭키를 하늘나라로 보내 주었다. 난 그들의 숭고한 동료 사랑과 동물을 대하는 태도를 엿볼 수 있었다.

어느 날 탄천에서 달리면서 수많은 사람이 반려견들과 산책하는 모습을 봤다. 거의 모든 사람이 리드줄을 적당히 조정하면서 반려견들이 주변 냄새를 맡으며 산책할 수 있도록 신경을 쓰고 있었다. 그런데 한 중년 남자의 반려견이 내 눈에 밟혔다. 그 강아지는 불편한 자세로 리드줄에 매인 채 걸어가고 있었다. 리드줄이 터무니없이 짧아 마음껏 주변 냄새를 맡지 못하고 견주가 이끄는 대로 그야말로 기계적인 산책을 하고 있었기 때문이다. 난 순간 오지랖이 발동하는 것을 억제해야만 했다. 달리기를 멈추고 그 남자에게 "리드줄을 길게 해서 강아지가 자유롭게 주변 냄새를 맡도록 해주세요."라고 말하고 싶었다. 하지만 그 남자의 반발이 예상되었고 괜히 분란을 조장할 것 같아 차마 그렇게 하지 못했다.

그 남자는 자신의 반려견을 단지 소유물로만 여겼을까? 조금이라도 반려견에게 '배려'를 해줄 수 없었을까? 그는 반려견에게 공감할 수 없었을까? 그는 반려견이 어떤 상태인지, 무엇을 바라고 있는지, 어디가 불편한지, 한 번이라도 멈춰서 생각해 본 적이 있다면 그렇게 행동하지 않았을 것이다.

요즘에는 사람이 동물을 대하는 태도로 그 사람의 거의 모든 것을 알 수 있을 것 같다는 생각을 한다. 평소 사람의 원래 행동과 태도는 사회적으로 소외된 이들이나 특히 말을 할 수 없는 동물들을 대할 때 나타난다. 문득 에버랜드의 강철원 판다 사육사가 한 말이 생각난다. 유키즈에서 유재석씨가 만약 어떤 특별한 능력이 있으면 좋겠냐고 했을 때 그가 시간을 끌며 생각하지 않고 바로 한 대답은 바로 "동물과 대화할 수 있는 능력이 있으면 좋겠다."였다. 동물은 아프더라도 아프다고 말을 할 수 없어 만약 자신이 그런 능력이 있다면 좋겠다는 것인데, 강철원 사육사는 사람들이 동물을 대하는 태도가 어떠해야 하는지 그 대답으로 몸소 실천하고 우리에게 보여주었다.

## 가을의 한복판에서 미호와 함께

올해로 11살인 미호와의 산책은 나에게 매일 꼭 해야 하는 일과다. 강아지에게 있어서 산책은 어쩌면 먹는 것보다 더 우선시되는 필수 요건이자 즐거움이다. 하지만 게으른 견주에게는 그것만큼 곤혹스러운 게 없다. 비가 왕창 오는 날이나 빙판길이거나 한파가 몰아쳐 외부 활동을 자제해야 만 하는 날이 아닌 이상은 무조건 나가야 한다. 비가 추적추적 와도, 눈이 쌓이더라도, 겨울철 바람이 매섭게 불어도 예외 없다.

집에 돌아와 보니, 미호가 몸 상태가 좋지 않았는지 아침밥을 먹지 않았다. 평소 발랄하던 녀석인데 풀이 죽어서 나를 멀뚱멀뚱 쳐다만 보고 있다. 이럴 땐 굉장히 속상하다. '뭐가 잘못된 것일까?' 눈을 마주치고 알아내려 애를 쓰지만, 이내 한계에 도달한다. 미호에게 먹는 것보다 중요한 히든 카드를 꺼내 들었다. 산책이다. 서둘러 배변 봉투를 넉넉히 리드줄에 묶고 배변 화장지도 챙겨 힙색에 넣는 나의 행동을 보자마자 미호는 그제야 두 앞발을 콩콩 딛는다. 얼른 나가자고, 왜 꾸물거리고 있냐고, 나를 재촉하는 모양새다.

그래, 나가자, 산책하자. 아파트 공동 현관문을 나가자마자 미호는 몸을 힘껏 털더니 재빨리 영역표시를 한다. 동네 공원에 들어서자마자 동네방네 온갖 강아지들이 나온 듯하다. 미호는 햇빛을 만끽하며 화단과 풀, 돌덩이, 바위에 코를 들이대며 냄새를 맡고 영역표시를 하며 이리저리 바삐 걸어가기 시작한다. 새삼 처음 와 본 곳인 것처럼 호기심이 가득하다. 사람들을 무척 좋아하는 미호는 마치 자기를 봐달라며 가끔 사람들 앞에 멈춰 서곤 해서 난감할 때가 많다. 눈치 빠른 사람들은 "아이구, 예뻐라." 라며 예의상 인사를 한다. 그제야 미호는 미션을 완수했다는 듯이 또 바삐 제 앞길을 재촉한다.

　미호로 인해 매일 반강제적으로 산책을 하지만 덕분에 나는 느림과 멈춤이 주는 시간을 만끽하며 가을의 한복판에 서 있다.

## 미호에게 평생 지울 수 없는 죄책감을 느낀다.

미호는 식탐이 많아 식탁에서도 자리를 떠나지 않고 식사 중인 우리를 올려다보곤 한다. 그럴때마다 미호에게 기름기를 뺀 고기, 과일, 닭 가슴살, 고구마, 야채 등 수시로 먹을 것을 챙겨줬다. 미호는 마치 처음 먹어보는 음식인 것처럼 잘 먹었다. 미호가 잘 먹어주니 난 미호의 몸무게를 걱정하면서도 "이번만 이렇게 주는 거야.", 혹은 "이것은 살찌지 않으니까 먹어도 돼."라며 마치 주문을 걸듯이 말하곤 했다. 미호를 한껏 안으면 이제는 두 팔이 저릴 정도로 무거워진 몸무게를 실감했으나 대수롭지 않게 여겼다.

1월 중순 어느 날이었다. 아침 일찍 외출할 일이 있었던 나는 밤늦게 집에 도착할 것 같아 평소에 하지 않은 행동을 했다. 미호와 새벽에 산책하기로 한 것이다. 그날따라 간밤에 눈이 많이 쌓여 조심스럽게 한 발자국 한 발자국 내딛으며 넘어지지 않으려고 애썼다. 미호는 눈이 쌓인 게 오히려 더 반갑다는 듯 이리저리 길가 나무 밑이나 키가 작은 덤불 밑을 코를 킁킁거리며 특유의 호기심을 발산하고 있었다. 내린 눈으로 평소보다 산책 시간이 오래 걸렸다. 나는 산책이 아직 끝나지 않았다는 듯 집에 가기 주저하는 미호를 채근했다.

아파트 진입 차도에서 인도로 이어진 턱에 눈이 제법 쌓였다. 미호는 쌓인 눈을 피하려고 펄쩍 뛰었다. 그때 미호가 뛰는 과정에서 한쪽 다리를 다쳤는지 공동 현관문까지 가면서 오른쪽 다리를 절기 시작했다. 난 미호가 다리를 약간 삐어 시간이 지나면 괜찮아질 거라 짐작했다. 하지만 미호는 며칠이 지나도 증세가 나아질 조짐을 보이지 않았다. 나의 우매한 결정으로 미호를 더 힘들게 했다는 죄책감에 서둘러 병원예약을 했다.

비가 약하게 내리는 날, 미호를 동물 병원까지 천천히 산책시키면서 갔다. 미호는 다리가 아팠는지 산책한 지 5분도 지나지 않아 더이상 걷지 않고 그 자리에서 멈춰 나를 쳐다만 보았다. 어쩔 수 없이 미호를 번쩍 안고 가기로 했다. 하지만 몇 발자국 내딛는 순간 난 미호를 안고 동물 병원까지 걸어갈 엄두가 나지 않았다. 미호 몸무게가 거의 11kg에 달해 두 팔이 부들부들 떨렸다. 결국 미호를 차에 태워 이동하기로 하고 미호를 안은 채 아파트로 되돌아왔다.

실로 오랜만에 미호를 차에 태웠다. 미호를 언제 마지막으로 차에 태웠는지 기억도 안 난다. 싱가포르 여행을 다녀왔을 때는 어머님 댁에 맡겼고 그 외 휴가는 미호와 함께 지낼 수 없어 주로 당일에 다녀왔다. 지금에야 반려견 동반 펜션이나 호텔이 간혹 있지만 몇 년 전까지만 해도 반려견을 받아주는 곳이 많지 않았다. 또한, 견주들이 여러 사정으로 며칠간 애견 호텔이나 카페에 맡기기도 하지만, 예기치 않은 반려견 안전사고가 발생하기도 해서 우리는 이용할 용기도 나지 않았다. 지난해도 미호를 며칠간 맡길 곳을 찾지 못해 우리 가족은 여름 휴가도 떠나지 않았다.

미호는 차가 움직이자마자 긴장하기도 하고 두려웠는지 뒷좌석에서 계속 낑낑거리기 시작했다. 이러다가 미호가 긴장해서 돌발행동을 할까 봐 미호에게 조금만 참으라며 계속 말을 건넸다. 차 유리창이 닫혀 있어 갑갑할지도 모른다는 생각에 비가 내리고 있었지만, 뒷좌석 유리창도 내려주었다. 하지만 그마저도 소용이 없었다. 평소보다 천천히 운전해도 미호가 계속 숨을 가쁘게 헐떡거리자 내 마음은 타들어 갔다. 가까스로 동물 병원 건물에 도착했지만, 주차할 곳이 마땅치 않아 건물 주위를 빙빙 돌고서야 간신히 주차할 곳을 찾을 수 있었다.

예약한 시간에 거의 맞춰 동물 병원에 들어가니 미호가 병원 냄새에 놀랐는지 도저히 나에게서 떨어지지 않으려고 했다. 나는 미호와 눈을 마주치면서 "괜찮아, 괜찮아, 금방 끝날 거야." 라고 연신 안심시켜 주었다. CT 촬영이 금방 끝날 줄 알았는데 의사가 미호 다리 부분을 중심으로 서너 군데 찍느라 시간이 좀 걸렸다고 했다. 간호사는 미호가 긴장해서인지 숨을 헐떡거리며 불안해했지만, 공격 성향은 보이지 않았다며 순한 아이인 것 같다고 말했다. CT 판독결과를 기다리며 미호에게 물을 주었으나 미호는 어서 이곳을 떠나고 싶다는 간절한 눈빛만 내게 보낼 뿐이었다.

수의사가 CT 판독 사진을 보여주며 미호에게 슬개골이 탈골되었고 고관절에 이상이 생겼다고 말했다. 미호가 현재 11살로 나이가 많아 수술은 권하지 않으며, 수술해도 완치는 불가능하다는 청천벽력과도 같은 말을 했다. 만약 그래도 수술을 원한다면 연계병원을 소개해 줄 수 있다며 과잉 진료는 하지 않는 곳이라고 나를 안심시키려 했다. 나는 그 자리에서 의사에게 듣고 있는 모든 것이 현실이 아닌 꿈이었으면 좋겠다고 생각했다. 너무 비현실적이었고, 우리에게, 미호에게 이런 시련이 닥칠 것이라고는 생각지도 못했다.

급한 김에 진통제와 소염제가 들어있는 약을 3주 분량으로 처방받았다. 익숙하지 않은 차의 움직임에 계속 가쁜 숨을 몰아쉬는 미호에게 "괜찮아, 이제 집에 가고 있어." 라는 말로 안심시키려 했다. 하지만 어쩔 줄 몰라 당황하며 안절부절못한 건 오히려 나였다. 무리하게 내 일정대로 움직이려고 눈 오는 새벽부터 산책길에 나서게 했던 미호에게 무슨 말을 전할 수 있을까? 또한, 미호에게 그동안 식이조절을 신경 쓰지 않아 몸무게 급증으로 급기야 뼈 탈골까지 이어졌다는 후회가 밀물처럼 밀려들었다. 나의 나태함과 이기심으로 다리를 다친 미호에게 심한 죄책감을 느꼈다.

## 가족이 '미호'를 대하는 자세 변화

그동안 남편은 근 1년 동안 심지어 주말이 되어도 미호와 산책하지 않았다. 매번 산책 후 발을 씻겨주어야 하는 게 부담스럽고 주말에도 피곤한 일이라고 여겼던 터였다. 그런 남편에게 나는 채근하지 않았다. 마음에서 나오는 행동을 하지 않는다면 미호에게도 별로 좋은 영향을 끼치지 않을 거라 생각했기 때문이다. 딸은 미호는 오직 엄마와 아빠가 돌봐야 할 대상으로 여겨왔다. 미호와 산책은 한 번도 하지 않았으며 살갑게 대하지도 않았다.

하지만 미호가 다리를 다친 이후로 남편과 딸은 서서히 미호에 대한 태도가 변하기 시작했다. 남편은 주말이라도 미호와 산책을 하기 시작했으며 딸은 나와 함께 한다면 미호와의 산책도 따라나서기도 했다. 아마도 미호의 리드줄 잡고 산책 다니기가 조금은 낯설고 두려웠나 보다. 미호가 통제가 안되는 아이가 아니지만 가끔은 고집을 부릴 때가 있다. 순간 난처한 적도 종종 있어 딸의 그런 행동에는 이해가 갔다.

미호의 몸무게를 관리하기 위해 이제는 아무리 미호가 먹고 싶다는 신호를 보내도 눈 딱 감고 들어주지 않기로 했다. 사람이나 동물이나 체중이 갑작스럽게 늘어난다는 것은 체내에 염증이 생긴다는 위험 신호이기 때문에 미호의 체중에 더욱더 신경 쓰기로 했다.

미호가 생후 2개월 때 우리 집에 처음 왔을 때부터 미호는 세상사는 마지막 순간까지, 아니 그 마지막이 영원히 돌아오지 않을 것이라 여기며 나와 함께 평생 살 것이라 생각했다. 미호에게 "사랑한다" 라는 말을 수없이 했어도 그 말은 어쩌면 습관처럼 내뱉는 말이 아니었을까. 나는 미호의 새까만 두 눈을 바라보며, 진심을 담아 아낌없이 사랑한다고 말하고 있다. 피곤하고 힘들어도 그리고 우울한 마음에 아무것도 하고 싶지 않을 때조차도 미호와 한껏 산책하고 시간을 보내고 있다. 쓸데없는 일에 시간 낭비하지 않고 이 시간이 두 번 다시 돌아오지 않음을 알기에 미호와의 시간을 만끽하고 있다. 나태주의 시 「아끼지 마세요」를 미호의 새까만 두 눈을 지그시 바라보며 보고 있어도 보고 싶은 미호에게 천천히 읽어주고 싶다.

# 역전

조현지

**조현지**　　SF의 주제는 공상과학이 아니라 '시공간을 초월하여 불변하는 인간성'이
라고 믿는다. 본인은 사실 외계인이 아닐지 의심하면서도 필연적으로 지
구인을 사랑한다. 하늘과 바다와 우주를 동경하며 막막한 향수를 글에
담는다. 평범하게 위장한, 함께 지구를 관광하거나 외계의 고향을 찾아
떠날 동족을 만나길 고대한다. 인간을 넘어 사람을 이야기하기에 글에서
인간성으로 포장한 추상은 어쩌면 외계성일지 모른다.

instagram: @hyunji2203
email: blackann357@naver.com

아직 잿빛에 가까운 땅 위 무성한 초록빛 나무가 바람에 몸을 뒤튼다. 창백한 보호복을 입은 십수 명의 사람 중 누구도 입을 열지는 않았다. 다만 긴장된 눈빛들이 사람에서 사람으로 바삐 돌아다닌다. 뜯어말리는 걸 진작에 포기한 사람, 기대하는 사람, 숨죽인 이들과 이 상황을 아직 전해 들은 바 없어 영문 모르는 사람. 하늘에서부터 어렵게 가지고 내려온 영상 송출 장치만이 웅웅대는 낮은 소음과 함께 돌아간다. 아이러니하게도 이 땅에 살아 숨 쉬는 것은 식물, 바람, 그리고 카메라뿐인 것만 같다. 지표에서 아무리 올려다보아도 마냥 푸른 저 위의 하늘에 시선을 둔다. 인류가 지구를 포기하고 마련했던 창공의 보금자리, 열권 너머의 작고 검은 점으로 자리 잡은 **하우스**들을 상상했다. 머지않아 지상으로 끌어내려진 시선을 한 남자에게 고정한다. 빙 둘러싼 사람들 한가운데에 우뚝 서서 침묵과 눈빛의 교환을 초래한 사람. 이 순간이 저 하늘 위로 전부 방송되고 있어서 조심스럽다지만 정작 누구도 거기까지 의식하지 못한다. 입은 조용해도 산만하게 꿈틀대는 여럿의 손가락과 표정이 증명한다.

그와 눈이 마주친다. 담담한 얼굴에도 수많은 감정이 일렁여 눈동자에도 바람이 인다. 어지러운 시선 속 풍경 속에서도 유독 선명한 단 한 가지 감정이 있다. 그걸 깨닫는 순간 죽어있는 것만 같던 사람들이 깨어나듯 숨을 삼키는 소리 몇이 동시에 들린다. 남자가 보호복의 잠금을 해제한다. 감히, '위험하기 그지없는 지구'로부터 우리를 격리하던 한 겹의 헬멧을 벗어낸다.

*

건조한 알람 소리와 함께 눈을 떴다. **하우스**에서 눈을 뜨면 언제나 지구의 모습이 한눈에 들어온다. 유리로 된 천장 너머는 가끔 구름이 짙고 가끔 쾌청하다. 하루 중 몇 시간은 대륙을 또 몇 시간은 바다를 마주하게 된다. 어쨌든 본질적으로는 늘 비슷한 지구의 풍경이다. 지구와 가까운 궤도에 까맣게 자리한 태양광 패널들은 항상 바다와 하늘 일부를 가린다. 전망이 안 좋은 위치다 보니 오래 감상하지 않는 편이다. 가장 값싼 꼭대기 궤도에서 이 정도 시야의 침해는 감수할 수밖에 없다. 낮은 궤도에서 지구를 도는 하우스들은 지구에 비해 한참 가깝고, 그런 하우스의 새까만 바닥이 창밖을 한가득 뒤덮은 탓에 지구도 까맣게 파먹힌 것처럼 보이기 때문이다. 저 하우스들의 검은 그림자가 '오염된 지구'의 믿음을 공고히 했는지도 모른다. 오늘도 잠시, 아주 잠시 동안만 지구를 응시하다가 침대에서 몸을 일으켰다. 하우스 간 수송기가 배송한 오늘치의 하우스 재배 원두를 확인하고 물을 끓였다.

지구의 대류권 안쪽에 사람이 살 수 없게 된 지는 벌써 수백 년이라고 한다. 인간은 더 이상 지표에서 살아갈 수 없다. 현생 인류의 조상은 모행성에서 퇴출당할 미래를 예견했다. 그 당시의 SF 영화는 다른 행성에 우주 식민지를 개척하는 꿈을 꾸었다고 한다. 허구에 불과한 상상이었다. 지구인이 닿을 수 있는 거리에 최소한의 조건을 갖춘 행성이 존재하는 행운, 그런 행성을 발견하는 행운, 인간과 우주선이 행성 하나를 새로 개척할 만큼의 시간과 기술이 주어지는 행운은 그들에게 찾아오지 않았다. 당시의 지구는 생지옥이었다. 안일하게 방치한 원자력 발전소가 붕괴되어 방사선이 유출되었다. 수많은 사람이 온갖 질병에 시달렸고 동식물은 기형이 되거나 썩어들어갔다. 지구 온난화는 통제가 가능한 수준을 넘어섰다. 연구원의 옷에 묻어 유입된 씨앗이 남극점 근처에서 꽃을 피웠다는 기사도 세간의 주목을 받지 못했다. 공간이 있다 싶으면 쓰레기를 못 쌓아두어 안달이라서 온 대륙과 바다가 버려진 것들과 함께 썩어갔다. 인류에게 남은 시간을 가리키는 시계가 자정에 이르던 시기. 당대 과학자들은 호모 사피엔스의 멸종을 막기 위해 최선을 다했다. 전 세계가 뜻을 모아 기존 인공위성과 우주 정거장 기술을 융합한 1인 거주 인공위성 수만 채를 하늘로 올려보냈다. 그러니 우리의 직계 조상은 최초의 하우스 거주자들이다. 지상의 모든 인류가 절멸할 때 하늘에 터를 잡아 살아남은 소수의 인간이다.

땅에서 건물을 위로 쌓아 올리던 구인류들은 경치가 좋은 지대를 선호했다고 한다. 그 습성을 이어받은 우리는 당연한 수순처럼 고향인 지구의 경치, **지구뷰**에 집착한다. 지구를 가리는 패널이 거의 보이지 않을 만큼 아래쪽의 궤도를 도는 하우스는 권력자나 부유층의 차지다. 그리고 그런 사람들은 으레 규칙을 어기기 마련이다. 일정 궤도 이하에 하우스를 배치하지 못하게 정한 **그라운드 라인**을 침해하는 일도 심심찮게 벌어지곤 한다. 하우스들은 각자 독립된 까닭에 계층이동이 거의 없다. 짤막한 물리학 용어를 빌린다면 사람들은 제각기 **닫힌계**에 산다. 물론 정보 교환과 인터넷망을 통한 관계가 없지는 않다. 다만 물질의 교환과 사람 간의 직접적인 접촉은 없다시피 하다. '이웃'이라는 단어는 사어가 된 지 오래다.

전부 같은 궤도에 하우스를 배치하면 안 되냐는 이야기를 진보적인 가치관의 누리꾼들이 늘 주장하지만, 모두가 낮아질 수 없는 핑계야 많다. 동일한 궤도에 모든 하우스를 배치하기에는 지구 공전 궤도가 겹쳐 충돌하는 경우를 고려하기 어렵다.충돌하지 않게 하려면 '마을'처럼 하우스들을 다닥다닥 붙여 한 덩어리로 공전시키는 수밖에 없다. 마을이라니. 이웃만큼이나 낯설고 달갑지 않은 고대의 단어이지 않나.

물론 자율 주행 1인 수송기를 타고 초속 3km에서 8km로 지구를 공전하는 하우스 사이를 아슬아슬하게 가로지르며 지표로 내려갈 때는 다른 생각도 든다. 좋은 것을 그들만 누리고 싶어 하는 핑계가 아닐까 하는 공상. 하지만 이런 생각들은 수송기의 엔진이 뜨거워지고 내부 공기가 적당히 훈훈하게 달아오르면 머리에서 완전히 날아가 버렸다. 결벽에 가까울 만큼 구김 하나 없는 정장 위로 보호복을 입었다. 단정히 정리한 외관이 희미하게 반사되는 창을 한 번 확인했다. 좁은 수송기 내부에 짙은 커피향이 피어올랐다. 가벼운 한숨과 함께 조종간 앞에 섰다. **이륙**버튼을 누르면 수송기가 땅을 향해 솟아내렸다.창은 점차 확대되는 지구의 모습으로 가득 찼다. 태양광 패널 없이 깨끗한, 드문드문 온갖 색이 보이는 갈색빛 대륙이 점차 가까워졌다. 지구에 내려갈 시간이었다.

*

바닥에 피어난 군청색 이끼는 밟는 것만으로도 찝찝함이 느껴졌다. 저쪽 나무의 표면에는 잿빛 버섯이 갓을 펼친 채 포자를 마구 내뿜었다. 곰팡이가 슬어 드문드문 푸른색이 된 연구소 안으로 버석버석 흙을 밟으며 발을 딛었다. 물론 보호복은 철저하게 갖춰 입었다. 지구의 방사능과 그 속에서 자란 생물을 직접 접촉하는 것은 극구 사양이니까.

**지금**의 우연은 멸망을 되감는 일을 한다. 다시 말해 지구를 복원하는 인력으로 합류한 지 이제 막 4개월 차에 접어든다. 멀리서 보는 지구는 육지의 보랏빛과 초록빛, 바다의 푸른색이 뒤섞여 있다. 인류세 멸망 이후 지구를 패권을 차지한 생물들의 자태다. 하우스에서 내려다보기엔 꽤 아름답지만 가까이에서는 그다지 좋은 감상이 따라오지 않는다. 지속적인 정화 작업과 인공 생태계 구축이 진행되어서 식물과 균류 정도야 흔히 볼 수 있었다. 하우스로 인해 줄어든 일조량 아래 방사능과 쓰레기를 마시며 자란 생물들은 우연의 눈에 아름답지 않았다.

파괴된 구인류의 문명도 종종 마주쳤다. 겨우 육백 제곱킬로미터의 면적에 천만 명이 살았다고 하니 몇백 년 세월에 전부 사라지는 게 더 이상한 일일 것이었다. 그 시절 사람들은 하늘을 동경해서 건물을 높이 쌓아 올렸다는 것이 한때 신기했는데, 이제 와 생각해 보면 인구가 늘어 점점 높은 궤도에 신축 하우스를 배치하는 신인류와 다를 것도 없어 보였다. 어쨌거나 현대의 우연은 오래된 지구 문명이 '고층 빌딩'과 '도시'에서 어떻게 살아갔는지 자세히 상상할 수 없었다. 하우스에 사는 현대 인류는 떠나온 시절과 지구를 끊임없이 궁금해했다. 전해 내려오는 구인류의 문명과 예술, 신화를 즐겼다. 하지만 교양을 핑계로 고전을 탐미하면서도 대부분 우월의식을 가지고 있었다. 건물을 높이 쌓아 올리며 도시에서 부대끼던 야만성과 환경을 경시한 끝에 지구를 망친 아둔함을 비하했다. 우연이라고 크게 다를 것은 없었다.

옛 지구를 복원하려는 노력은 **개천(開天)시대**에 접어들어 끊임없이 이루어졌다. 그러나 여전히 정화 중인 인공 생태계에 살아가는 일부 변종 말고는 어류나 들짐승은 없다고 알려졌다. 특출나게 강한 식물과 균류만이 정화 구역 바깥에서 초기 군락을 형성하고 있다. 조만간 야생화된 동물을 외부 생태계로 방생하는 시도도 이루어지리라는 이야기가 나오지만 기약은 없었다. 정부의 꾸준한 노력과 달리 아직 지구에서 사람이 살기엔 요원했다. 어디까지나 미래 세대를 위해서 벌이는 정화 활동이었다.

땅에서 사는 게 불가하다는 정부의 발표가 조작이라고 주장하는 사람도 많았다. 정부의 거짓말을 밝혀내려고 자원하는 사람들의 숫자가 얼마나 되는지는 제대로 보도된 바가 없었다. 음모론자가 아니더라도 다들 지구를 꿈꾼다지만 대체로 두려움이 앞섰다. 지구정화업무는 여전히 연봉이 높고 지원자는 적었다. 연구원이 아닌 우연이 일단은 지구로 출근하게 된 까닭도 비슷한 맥락이었다.보호복을 입어도 피폭을 완전히 막을 수는 없으며 온갖 질병을 얻게 된다는 괴담은 안 들어본 사람이 없을 정도였다. 젊은 나이에 요절하는 연구원들의 수로 비추어 보아 괜히 생긴 소문은 아닐 터였다. 우연으로서는 딱히 신경 쓸 것 없는 이야기였다. 몇 년 뒤에 찾아올지 모르는 죽음보다야 당장 신축 하우스의 월세가 더 두려웠다. 꼬박꼬박 월급을 챙겨준다는데 어떤 음모가 있든 시키는 대로만 잘 하면 그만이라는 생각이었다.

지구에서의 업무라 해서 그리 특별한 것은 없었다. 공통적으로 정화 작업과 생태계 복원 업무를 진행하고, 몇몇 인력은 오염도 측정 및 정화 구역 순찰을 담당했다. 우연의 업무는 기본적으로 후자에 가까웠다. 업무가 부담스러울 것도 없었다. 대부분의 일은 한반도 총책임자인 도하와 함께 진행했다. 상사와 일하는 게 부담인 사람도 있을 수 있겠지만 우연은 그리 신경 쓰지 않았다. 자신의 부족함과 실수를 둥글게 수습해 주는 사람이 있는 것은 나쁘지 않았다.

도하는 침착하고 감정의 동요가 잘 느껴지지 않는 사람이었다. 까만 눈동자는 흔들리는 법이 없고 목소리도 고저가 적다. 그렇지만 딱딱하다는 소리를 밥 먹듯 듣는 우연과 달리 냉랭하지는 않았다. 다정하되 담담하고 절제된 사람. 대화할 때는 살갑게 말을 붙이지만 그 어투가 전혀 사교적이지 않다는 점은 묘했다. 당장 우연에게 건네오는 평범한 안부 인사조차도.

"요즈음 일하기는 어떠신가요?"

"지낼 만합니다. 시키시는 입장이니 더 잘 아시겠지만 업무 강도가 높은 편도 아니고요."

"다행이네요, 유독 피곤하거나 몸이 아픈 일은 없으신 거죠?"

"……연구소 내부의 오염도와 방사능 수치에 이상이 있었습니까?"

그제야 도하는 형식적인 문답을 깨뜨리듯 낮은 웃음소리를 냈다.

"그럴 리가요. 이건 책임자로서의 당연한 걱정인걸요."

짧은 침묵이 이어졌다. 측정값을 기록하느라 펜촉이 사각사각 종이를 스치는 소리, 웅웅 울리는 기계 소리가 적막을 메웠다. 갑자기 비어 버린 공기가 어색해서 우연은 손에 들고 있는 서류로부터 대화 소재를 끄집어냈다.

"그러고 보니 생각보다 오염 수치가 높게 측정되지 않는 것 같은데요. 이 정도면 방사능에 취약한 종이 아니고서야 살아갈 수 있는 수준 아닌가요? 물론 저는 기록만 하지 자세히 아는 건 아닙니다만."

기껏 꺼내는 게 업무 이야기라는 점에서 도하보다 자신의 사교성이 훨씬 떨어진다고 우연은 생각했다. 하지만 우연만의 문제가 아닌 현대인의 고질적인 성향인 것도 사실이었다. 하우스에서는 타인과 얼굴을 맞대고 대화할 상황이 극히 적으니 당연한 일 아닐까. 지구에 머무는 시간이 길어지면 하늘에서와 달리 사람을 만나고, 대화하고, 교류할 수밖에 없었다. 인간 사이 교류랄 게 없는 시대에 지표를 정화하는 걸 직업으로 삼은 사람들만이 이 단절된 사회에서 유일하게 면대면 소통을 했다. 도하는 몇 년을 지표에서 일하며 소통방법을 학습한 걸까.
상념이 멋대로 뻗어나가는 동안 도하의 대답은 돌아오지 않았다. 우연
은 대화의 공백을 몇 초 늦게 깨달았다. 돌아보니 도하는 우연을 물끄
러미 응시하고 있었다. 질문에 문제가 있었나, 잘 알지도 못하면서 물
은 말에 기분이 상한 걸까. 이런 일로 화낸 적은 없었는데. 슬슬 평소
의 업무 태도까지 성찰하려 들 무렵 도하가 대답했다.

"첫날 왜 열심히 할 필요가 없냐고 물으셨죠, 우연 씨. 지구를 정화
해서 인류가 다시 터전을 꾸릴 수 있게 하는 고귀한 작업인데, 어째서
냐고…… 기억나세요?"

아니, 그건 대답이라 할 수 없었다. 되돌아온 의미심장한 질문.

"물론 기억하고 있습니다. 그때도 책임자님은 제 질문에 제대로 대
답해 주지 않으셨죠. 지금처럼."

근무를 한 지는 몇 개월 남짓이라지만 그동안 우연이 **관찰한** 사람들
은 다양했다. 모든 사람이 각자의 하우스에서 고립되어 살아가는 세상
이다 보니 다들 개성이 뚜렷했다. 온갖 불을 다 켜두어야지만 잠이 온
다는 사람, 진작에 멸종한 조개껍데기며 고래 뼈를 수집하는 사람, 야
생 샐러드를 해 먹겠다며 오염된 식물을 채집해 와서 번번이 압수당하
는 사람까지, 무난하다는 느낌이 드는 사람이 있다면 그 사람이 가장
별종으로 느껴질 지경이었다. 곱씹어보면 기대 수명이 짧고 환경은 열
악하며 반동분자까지 있다고 소문이 파다한 지구의 직장을 선택했다
는 점에서 다들 평범하지 않은 사람들이었다. 그런 사람 중에서도 한
반도 지부의 총책임자 도하는 눈에 띄었다. 유쾌한 사람들 사이에 섭

게 섞여 들지 못하고 혼자 둥둥 떠다니는 사람. 도하는 가끔 타인을 관찰하는 우연의 눈동자를 마주 꿰뚫어 보는 것만 같았다. 직책이 주는 무게 때문일 거야. 우연은 애써 생각하곤 했다.

전대 총책임자는 손상된 보호복을 착용한 채 위험 구역에 들어갔다가 불의의 사고를 당한 것으로 알려져 있다. 크고 작은 사건이 끊이지 않는 자리다 보니 지구의 위험성이 새삼 회자되었다지만 흔한 인력 교체 사유인 것이 사실이었다. 그의 뒤를 이은 도하는 5년 전 지금의 자리에 올랐는데, 성실한 근무자였다지만 한참 젊은 사람이 반도 하나를 통솔하게 된 것은 꽤 파격적인 인사였다고 한다. 도하가 지휘권을 얻고 가장 먼저 한 일은 직급 체계 개편이었다. 현재의 지구복구사업에 있어 표면상으로는 관여 인원 전원이 동등하되 총책임자만이 독립된 지위를 누렸다. 모든 역할 배당은 도하를 통해 이루어진다. 그러니 도하는 리더이자 단 하나의 예외, 아웃사이더라 부를 만 했다.

업무 시스템이 이렇더라도 도하는 귀찮게 굴거나 과한 명령을 내리는 일이 없는 괜찮은 상사였다. 매너 있고 흠잡을 데 없는 사람이 왜 특별히 이상하게 느껴지는지를 따져본다면 우연과의 첫인상이 큰 영향을 주었겠다. 지금 그가 직접 언급하고 있는 첫 출근일의 기억.

그날 도하는 다정하며 예의 바르지만 상사 특유의 거리감도 느껴지는 사람으로 보였다. 적당히 센스 있지만 영양가는 없는 신입 환영 축사까지만 해도 분명 그랬었다. 문제는 축사의 마무리 인사였다.

"너무 열심히 일하지는 마세요. 어차피 의미 없으니까."

대부분의 사람이 지나가는 이야기를 한 귀로 듣고 한 귀로 흘리고 있었으므로 그 의미를 되물은 것은 우연이 유일했다.

"신입에게 괜한 짓이니 대충 일하라는 환영인사를 하는 건 처음 들어보는데요. 무슨 이유가 있나요? 무리하다 인명피해가 날까 봐 그렇습니까?"

질문에 도하는 예의 그 시선으로 우연을 가만히 관찰했다. 우연도 아랑곳 않고 도하를 마주 보았다. 깜빡임조차 없이 흐르는 몇 초. 식이 진행되는 강당은 자연광이 들지 않았다. 두 쌍의 눈동자 간격이 좁았던지 인공 불빛이 스며들지 않아 오롯이 검었다. 사위가 적막해지고 사람들의 주의가 쏠렸다.

"우연 씨, 혹시 첫 직장이신가요? 맞아요, 처음 일하는 사람들은 열정 탓에 자신을 너무 혹사하는 경향이 있거든요. 열심히 해봐야 우연 씨가 이 땅에서 정상적으로 살게 될 가능성도 없고요. 얼마나 긴 시간이 걸릴 텐데……."

먼저 내뱉던 문장들과 달리 대충 넘기는 것 같은 대답. 도하의 시선이 단상의 연설문으로 미끄러졌으나 우연의 시선은 그대로였다. 첫날부터 상사의 말을 붙잡고 늘어지는 게 맞나 싶으면서도 우연은 하나뿐인 상사가 앞뒤 꽉 막힌 사람이 아니길 기원하며 대꾸했다.

"첫 직장 아닙니다, 추가 수당도 없이 저를 갈아 넣을 만큼 대단한 뜻을 가지고 오지는 않았습니다. 아무리 그래도 보통은 신입에게 열심히 해보라는 말을 하는 게 일반적이지 않나요. 총책임자님은 사명감 없으십니까?"

겁도 없는 신입의 말에 그는 나직한 웃음으로 답을 대신했다. 다시 말해 대화를 이어가는 대신 환영회를 마무리하는 문장을 뱉었다. 그러려니 넘겨도 그만일 말에 자신의 경력조차 모르는 상사라지만, 우연은 어째선지 그 웃음과 끝맺음에서 이미 도하가 자신을 파악하고 있다는 느낌을 받았다.

그리고 오늘에 이르러 첫날의 대화를 한 꺼풀 겹친다. 문답이 반복된다.

"왜일 거라 생각해요? 정말, 단순히 '정화가 오래 걸릴 테니까?'"

"아무 기술도 보호복도 없는 식물이며 곰팡이들도 잘만 살던데요. 얼마나 걸릴지, 이번 세대에 가능할지, 우리가 보호복을 벗고 땅에 설수 있을지는 이번 수치만 봐도 달라질 여지가 있다고 봅니다. 몇 년 내로 이주민을 받아도 문제 없을 것 같다고 생각합니다."

"움직이지 않고도 삶에 필요한 모든 것을 쟁취하며 살아가는 생물들이에요. 아무런 생존 기술이 없다는 그 말에는 동의할 수 없지만……. 그래요, 좋아요. 우연 씨는 사람의 말에 휘둘리기보다는 직접 보고 판단한 일만 믿을 것 같네요."

우연이 대꾸하려는데 방문자를 알리는 카드키 인식음이 났다. 출입 권한을 가진 사람의 상당수는 연구 인력이고, 무단으로 연구소를 점거하러 내려오는 테러 세력 따위도 없으니 당연히 동료이리라. 하지만 연구실 내부로 이어지는 두 걸음 소리의 주인공은 우연이 모르는 얼굴들이었다. 한 명은 문이 열리고 닫히는 길지 않은 시간 동안 하품을 두번이나 쩍쩍 해댔고, 다른 한 명은 길게 찢어진 눈매로 연구실을 돌아보며 인상을 찌푸렸다. 불시 감사 나왔습니다, 라고 눈이 긴 사람이 내

뺄기 전에 우연은 용케 두 사람의 정체를 알아차릴 수 있었다. 직접 경험하는 것은 처음이지만 익히 들었기 때문이었다. 지구의 업무를 점검하는 방식에는 크게 세 가지가 있다. 정기적으로 지구에 방문해서 연구원들에게 직접 보고 받는 감사와 연구직들 사이 상시 섞여 있는 비공개 감독, 그리고 오늘 찾아온 것과 같은 비정기 불시 확인.총책임자는 부드럽게 웃으며 두 감사를 맞이했다. 그러나 우연은 도하의 입매가 순간적으로 굳는 것을 목격했다.

"연구실 관리가 엉망인데요? 서류들도 죄다 뒤섞여 있고."

"수치 측정을 매일 진행하다 보니 차분하게 정리할 시간이 없네요. 인력이 더 배치된다면 몰라도……. 감사직 대신 함께 연구를 해보시는 건 어때세요?"

"이 오염된 땅에요? 한 번씩 이렇게 내려오는 것도 찝찝한데."

여기서 삼시세끼 먹으면서 일하는 사람 둘이 당신들 눈앞에 있는데 할 소리인가요. 우연은 속으로 욕을 했다. 같이 일하자, 싫다, 보고는 꼬박꼬박하고 있으니 핀잔 주지 마라. 도하와 감사들 사이에 농담인지 진심인지 모호한 실없는 대화가 지나갔다. 그 와중에도 눈이 긴 감사가 쭈그려 앉아 차트와 계기판을 지켜본다.

"북한강 인근은 오염수치가 좀 어떤가요?"

"매우 나쁨 수준입니다. 선태류와 일부 균류 외에는 이론상 서식 가능한 생물이 없어요."

대화를 듣던 우연은 고개를 기울였다. 분명 몇 주 전 도하와 함께 생태 복원도를 확인하러 나갔을 때 인근 지역에서 풀꽃 대여섯 종을 채

집했었다.

"책임자님, 해당 지역 오염도가 그보다 낮지 않았나요?"

"복원 속도가 빠른 인근 지역은 옛 파주 부근이에요. 아마 보통 수준으로 분류되었죠. 비슷한 시기에 돌았으니 헷갈릴 만 해요."

안색이나 목소리의 어조 변화 하나 없었다. 누가 보더라도 부하 직원의 실수를 부드럽게 정정하는 신뢰할 수 있는 상사의 모습이었다. 도하가 태연하게 서류 한 묶음을 건네주며 확인해 보라는 듯이 눈짓했다. 그 자연스러운 태도에 우연은 속으로 정정했다. 내가 착각했나 보다. 하긴 그날에는 지구용 수송기-한때는 '자동차'라 불렀다는 기록이 남아있다-를 타고 멀미를 해가며 열두 군데에 달하는 지역을 둘러봤었다. 그러면 제비꽃을 발견한 곳이 인근 야산이었던가, 아닌데, 분명 강가였던 것 같은데……. 인간 두뇌의 불완전한 기억과 벌이는 우연의 사투는 오래가지 않았다.

도하가 건넨 것은 언뜻 평범해 뵈는 상부 제출용 서류였다. 그러나 수치를 하나하나 살펴보니 생태복원 정도가 우수해 감탄했던 몇몇 지역의 수치가 알고 있던 것과는 판이했다. 그제야 우연은 기계적으로 체크하던 오염수치가 정부의 발표보다 현저히 낮다는 걸 깨달았다. 다소 생소한 업종에서 시키는 대로만 일하다 보니 여태 불일치를 알아차리지 못했던 것이다. 따져보면 도하는 연구원 경력 없는 우연에게 지구가 '첫 직장'일 거라 생각하고 있었다. 왜 수치를 총괄하는 업무를 배정했는가. 우연의 착각일 수 없었다. 우연이 제기한 의문에 재차 확인하지도 않고 곧바로 대답한 것을 보면 도하가 착각했을 리도 없다.

명백히 조작된 수치였다. 심지어 바로 뒷장에는 측정값 그대로의 진실한 수치가 기재되어 있었다. 도하는 우연에게 공범이 되어달라는 무언의 권유를 하고 있다.

서로 다른 진술에 감사의 눈초리에 불신이 깃들었다. 그가 서류를 달라고 손을 내밀었다. 우연이 건네는 서류의 한쪽 귀퉁이가 조금 구겨져 있었다. 감사의 요청에 자신도 모르게 긴장했다는 걸 우연은 뒤늦게 깨달았다. 깨닫는다고 사그라드는 긴장이 아니라서 우연은 서류철을 뚫어져라 쳐다보며 딱딱하게 굳은 표정을 그 뒤에 숨겼다. 저들에게는 실수에 자책하는 연구원으로 보이길 바라면서.

"기억났어요. 파주 인근에서 제비꽃과 유채꽃 몇 송이를 봤었죠. 며칠이나 지났다고 벌써 착각했습니다. 죄송합니다."

서류를 한참 팔락이던 감사가 눈을 찌푸렸다. 우연은 아무 종이나 집어 들어 아직 자기 손에 남아있는 진짜 기록을 가렸다. 여전히 가슴이 기분 나쁘게 두근거리는 감각이 들어 서류철째로 품에 안았다. 감사에게 넘긴 것은 도하가 조작한 자료뿐이었다. 그가 내보이지 않은 진실이 우연의 손에 쥐여 있었다.

넘겨준 서류에도 의심을 쉽게 거두지 않던 감사는 몇 번을 더 캐물었다. 정말 오염 수치가 이렇게 높은 게 맞느냐, 그렇다면 꽃이 피었다는 지역이 사람이 살 수 있을 만큼 복원되려면 어느 정도의 시간이 걸리겠느냐. 도하의 답변은 한결같이 비관적이었다. 지나칠 정도였다. 도하의 모든 대답에 어떠한 의도가 스며든 것처럼 보였다. 모두에게 믿음을 주던 그 목소리를 우연은 더 이상 신뢰할 수 없었다.

숨 막히는 질문과 답변의 시간이 끝나고 연구실을 나설 때까지 두 감사에게서는 불신의 기색이 언뜻언뜻 보였다. 두 사람만 남은 연구실에 부자연스러운 침묵이 두 번째로 찾아왔다. 도하는 아무렇지 않은 듯이 감사가 어지럽힌 서류를 정돈했다. 지적을 받을 만큼 얼핏 보기에 어수선한 연구실에도 그 나름의 규칙이 있는 모양이었다. 혹은 그 배열 자체에도 의도가 있거나. 허무할 만큼 간단하게 정적이 깨졌다. 그 단순함과 달리 도하가 건넨 말은 가볍지 않았다.

"갔네요. 이제 저 사람들은 다시 보기 어렵겠군요."

우연은 숨을 깊이 들이마셨다.

"왜죠? 총책임자님의 조작을 알아챘다는 이유로 누명이라도 쓰게 될 예정입니까?"

"누가 되었든 저 사람들에게 의문이 싹텄다고 판단한 사람이 존재한다면 비슷한 방식으로 처리되겠죠. 여기 직접 오는 감사들은 전부 말단에 불과한걸요."

"아시겠지만 저 돌려 말하는 법 잘 모릅니다. 총책임자님, 정부가 오염수치를 조작하고 있다는 말이 사실인가요? 그 역할을 수행하는 게 총책임자님이십니까?"

도하는 곧장 대답하지 않고 뜸을 들였다. 곤란할 때, 혹은 대답하고 싶지 않을 때면 그렇게 대화에 공백을 마련했다. 상대가 괜히 불안해하고 조급해하도록. 이것 역시 지구에서 구를 대로 구른 통솔자의 전략일까.

"우연 씨가 잘하시는 대로, 눈에 보이는 대로 판단해 주세요. 아, 오늘 다녀간 사람들을 통해 조만간 확인하게 되실지도 모르겠네요. 북한강 일대를 집중적으로 관리해주세요, 우연 씨."

여전히 도하의 어조는 평이했다. 우연은 더더욱 도하의 속을 짐작할 수 없었다.

*

총책임자의 의미심장한 말은 한동안 우연의 머릿속에 맴돌았다. 도하가 감사들에게 무슨 짓을 하지는 않을까. 혹은 돌연 사고를 당한 전대의 총책임자처럼 자신도 조만간 기사 한 줄만 남기고 사망 처리되는 건 아닐까. 북한강 일대에서는 무슨 일이 벌어질까. 수백 가지 가능성의 시나리오는 하루에도 몇 번씩 우연의 머릿속을 가득 채웠다. 혼자 끌어안은 고민이 무색할 정도로 그날 이후 총책임자는 아무런 내색이 없었다. 아침마다 똑같은 인사말을 건네고 업무 중에도 평소와 같은 대화를 나누었다. 업무 이야기만 했다는 의미가 아니었다. 적절한 관계 유지를 위한, 평소와 조금도 다르지 않은 소소한 농담과 안부 인사. 그런 일상이 반복되니 일전 들었던 말은 뒷전이 될 것처럼 느껴졌다. 우연은 어쩌면 그 사람이 정말 잊었을지 모른다고 생각했다. 모든 의문과 불신을 심어준 주제에.

도하가 아무렇지 않게 군다고 해서 우연까지 아무렇지 않을 수는 없었다. 우연은 지금까지보다 더 유심히 도하를 **관찰**했다. 이 사람은 지구를 정말로 사랑하는 것처럼 보였다. 지구의 복원을 꿈꾸고 호기심을 가지며 인간 아닌 생물의 군집에 감탄하는 건 대부분의 사람에게서 나타나는 성향이라지만 도하는 남달랐다. 하우스에 다녀오지도 않고 지구에 상주하는 데다, 매일 새벽같이 일어나서 출근 시간 전까지 야생 생태계까지 돌봤다. 씨를 뿌릴 때 흙을 덮거나 식물에 매달아두는 표식으로 사용하는 비닐과 용품까지도 녹색 빛으로 된 것을 고집했다.

'이러면 식물이 더 많은 것처럼 스스로 착각하게 돼요. 내가 이 많은 식물을 지배하는 것 같고. 내가 원하는 대로 흔적을 남기게 되니 지구의 주인이 되어 독차지하는 것 같기도 하고….'

도하의 손길이 닿은 자리들은 온통 초록빛으로 뒤덮였는데, 우연은 일종의 '영역 표시'로 여겼다. 이곳은 내가 관리하는 구역이라는 것을 다녀간 자리마다 남기는 행위였다. 어쩌면 푸른 지구를 혼자 독차지하고픈 마음일 수도 있었다. 그래서 거짓으로 위험을 보고하며 정부의 지구 위험도 조작에 동참하는 게 아닐까. 그 외에 도하에게 별다른 욕심이 있어 보이지는 않았다. 그는 한가할 때면 하늘을 올려다보았고 자주 어린 새싹과 꽃에 말을 걸었다. 도하의 소매에는 늘 노란 유채꽃의 향이 배어있었다.

*

그날은 유독 하늘이 맑았다. 새털구름이 떴고, 시야를 흐리는 먼지조차 없었다. 모래 향 섞이지 않은 신선한 바람이 보호복 안에서까지 느껴지는 기분이었다. 칙칙한 초록색이었던 나무의 잎들도 하늘의 푸른빛을 닮아 조금 더 파래졌다. 나뭇잎이 흔들리는 쏴쏴 하는 소리가 울려서 우연은 창문을 열고 싶다는 말도 안 되는 기분을 느꼈다. 충동을 누르고는 화병에 꽂아둔 유채꽃 한 다발을 장갑 너머로나마 쓸어내렸다. 그러게 왜 지구에서는 창문을 벽에 달아두는 걸까. 하우스에서처럼 천장에만 달아둔다면 무모한 짓을 할 생각도 들지 않을 텐데…….

개인실의 창문 방향에는 연구진의 살뜰한 보살핌 아래 가장 안전하게 자라난 푸른 지대가 자리했다. 새삼스러울 것 없이 도하가 직접 손을 댔다는 인공적인 초록빛도 드문드문 눈에 보였다. 그의 지구 사랑을 어렴풋하게나마 이해할 것도 같았다. 할 일이라곤 각종 수치를 받아적는 것이 전부일 만큼 드물게 한가한 날이었다. 그 덕에 이른 오전부터 즐길 수 있는 차 한 잔이 마련한 마음의 여유가 불러온 공감일 수도 있다. 멸균된 실험실에서 길러낸 찻잎이나마 지구에서 생산된 안전한 작물이라는 사치를 누리는 기분을 내기엔 부족함이 없었다.

나른함에 잠시 눈을 붙일지 고민하던 찰나 갑자기 요란한 소리가 울렸다. 방사능 수치 경보라는 걸 뒤늦게 알아차린 뒤에야 전 지역의 실시간 상황을 확인하는 상황실로 뛰어 들어갔다. 다른 직원들도 돌발 상황에 당황하기는 마찬가지였다. 불안정하게 오가는 목소리들에는 익숙한 체념과 낯선 두려움이 공존했다. 거봐, 전부 헛수고라니까. 괜히 지원했어. 대피부터 해야 하는 거 아니야? 지구에 묻히는 낭만 따위 없다고! 속속 도착하는 인원들의 날 선 공포감 사이 침착을 유지하는 사람은 도하뿐이었다. 꼭 예상이라도 한 것 같은 그 반응에 우연은 북한강 일대의 수치를 확인했다.

빨간불이 들어와 있었다.

"해당 지대에는 제가 직접 가겠습니다. 소수 인원으로 상황을 확인한 뒤 2차로 출동하는 인원이 현장을 수습하도록 하죠. 방사능 수치가 높아 위험합니다만, 자원자 있으실까요."

시선을 주고받던 수백 명의 사람 중 두세 명이 손을 들었다. 가장 열성적으로 지구를 가꾸던 인원들이었다. 우연은 도하와 눈이 마주쳤다. '제가 지켜보라 했었잖아요.' 그런 환청을 들은 듯한 기분에 사로잡혔다. 하지만 정작 도하가 내뱉은 말은 그와 달랐다.

"성하 씨, 예승 씨, 우연 씨. 이렇게 세 분과 함께 1차로 상황 확인하도록 하겠습니다. 나머지 인원은 인근에 설치한 관찰 카메라로 해당 구역을 면밀히 살펴 주시고, 영상 자료가 남아있다면 원인 분석 부탁드립니다."

호명된 자신의 이름에 우연이 멍해지기도 잠시, 저린 팔에 자신이 무심코 손을 들어 자원했음을 깨달았다. 수명 깎아 먹기 좋을 장소에 제 발로 들어간다니, 아무래도 자신이 미쳤나보다고 우연은 생각했다. 하지만 번복할 만큼의 반발심이 치밀지도 않았다. E급 보호복으로 환복하기 위해 우연은 도하의 뒤를 따랐다.

*

도착한 현장은 그 자체로 거대한 무덤이었다. 가볍게 둘러본다면 이전과 크게 다른 점이 없는 듯했지만 바람에 스치기만 한 잎들이 소리 없이 우수수 떨어져 내렸다. 그나마 환경 적응력이 좋은 변이 생물들은 생명을 유지하는 것으로 보인다는 것이 불행 중 다행이었으나, 며칠 전과 비교하면 섬뜩하게 고요했다. 어쩌면 시끄럽게 울리던 경보를 듣다가 이동해 온 탓에 그렇게 느껴졌을 수도 있겠지만 이곳에 넘쳐흐르던 '생명력' 자체가 소멸한 것만 같았다. 우연만의 감상이 아니었는지 함께 온 사람 중 누구도 말이 없었다. 방사능 측정기가 알려주는 소리를 따라 걸어서 이동하던 걸음이 멈췄다. 작은 규모의 폭발이 일어난 듯한 옅은 구덩이에 두 명의 사람…… 두 구의 시신이 있었다. 오염도가 낮은 지대에서 사용하는 일상용 보호복을 입은 탓에 그 둘의 얼굴을 쉽게 판별할 수 있었다. 며칠 전 다녀갔던 말단 감사들이었다.

　어떤 말도 가볍게 내뱉을 수 없었다. 숨이 막히는 기분에 우연은 시신에서 눈을 돌릴 곳을 찾아 헤맸다. 시선이 자연스레 도하를 향해 흘러갔다. 이번만큼은 그가 눈을 마주쳐주길 바랐고, 도하는 이번에도 그 기대에 응했다. 우연은 눈빛으로만 도하에게 물었다.

　'살릴 수 있나요?'

　그가 고개를 젓고 간이 정화 장치를 바닥에 꽂았다. 수치상으로 보아 만일 이들이 E급 보호복을 입었다면 우리처럼 조금도 문제가 없었을지도 몰랐다. 그들이 손에 꼭 쥐고 있는 폭발의 근원 물체를 확인했다. 희미하게 '오염도 측정 장치'라고 적혔으나 망가진 것을 감안해도 실제 측정기와는 생김새가 상당히 달랐다. 독성 판별기를 가져다 대니 측정기가 요란한 경고음을 냈다.

의미하는 바는 한 가지였다. 누군가 이들에게 실제 오염도를 측정해오라는 핑계로 폭탄을 구동하도록 등 떠밀었다는 것. 쥐고 있는 것은 오염도 측정 장치가 아닌 방사선 누출 피폭 장치였다. 총책임자는 감히 손댈 수도 없이 오염된 그 시신에게서, 곧 죽을 식물들에게서, 그럼에도 살아남아 땅을 정화할 생물들에게서 오래오래 시선을 떼지 않았다.

며칠간 언론에는 지구의 위험도가 끊임없이 보도되었다. '현대 인류에게 허락되지 않은 금기의 구역', '지구 파견 노동자의 안전 대책 마련 촉구', '지구는 아직도 죽음의 땅이다.' 주장하는 말은 한결같았고, 특히나 익숙한 문장들을 우연은 읽고 덮길 반복했다. 검게 변한 잎을 떨구던 식물의 환각에서 해방되기 전, 정신적 충격을 명목으로 하우스에서 보내던 며칠의 휴가가 끝나지 않았음에도, 우연은 수송기에 몸을 실었다. 도하에게 물을 것이 있었다.

*

무슨 사건이 있었느냐는 듯이 연구소는 평화로워 보였다. 지구는 하늘에 비해 언론의 장악력이 약한 땅인 탓일까. 아니면 도하를 제외한 목격자 전부가 병가를 받았기 때문일까. 어쨌거나 동료들과 안부 인사를 주고받으며 들은 근황에는 특이 사항이 없었다. 책임자님? 평소랑 똑같던데. 일밖에 모르시지 뭐. 묻는 말마다 비슷한 답이 돌아 왔다.

이변은 우연이 도하의 개인실 문을 연 순간부터였다. 아슬아슬하게 유지되던 평화가 단박에 무너지는 것을 두 사람 모두 느꼈다. 목격자와 목격자의 대면. 질문자와 답변자의 마주침.

"휴가 기간은 아직 남았을 텐데요, 부디 사표를 내러 오신 것이 아니길 바라요. 지구에 내려와도 괜찮으신가요."

농담이 섞인 말이지만 웃기 위함이 아니라는 것을 두 사람 모두 알고 있다.

"질문이 있어서요. 도하 씨, 전과 같은 질문입니다. 이번에는 대답해 주세요."

"대답하지 않으면 유능한 직원 하나를 잃게 될까요?"

우연은 대답하지 않았다. 유능하다는 단어는 자신의 **역할**중 무엇에 대입하더라도 그 효용을 잃었다. 도하는 옅은 한숨을 뱉었다. 형식적인 웃음이 유난히 흐렸다.

"정부는 지구의 오염 수치를 조작하고 있죠. 궁극적인 '바다'인 지구에 닿고 싶어 하지만, 지표가 인류에게 허락되어 모두가 동등한 높이로 내려올 것을 두려워해요. 그래서 차라리 누구도 살지 못하게 오염되어 있길 바라고, 또 한 편으로 자신이 살 땅이 남아있길 바라요. 국소적으로 파괴하면서 모든 지구가 망가진 것처럼 보도하는 이유예요."

"수치를 조작한 건 당신이었어요."

"정부로부터 숨겨야 했어요. 겁먹은 그들이 파괴할 테니까. 그리고 복구된 사실을 아는 사람들을 없애려 할 테니까. 우연 씨가 이미 보았듯이요."

"당신이야말로 정부의 손발이잖아요. 지구를 사랑하지만 자신이 독차지하지 못할 것을 두려워하는 사람이 도하 씨 아닌가요? 그 사람들의 죽음에 도하 씨의 책임이 정말 없나요?"

"말단 감사들이 정부에게 이용당하듯이 저 역시 마찬가지예요. 이전의 한반도 총책임자도, 다른 구역의 파견자들도 그렇게 사라졌죠. 저는 모든 인류가 흙을 밟고 바람을 느끼길 언제나 꿈꿨어요."

"지금 반란 세력이라고 자백하는 건가요?"

도하는 헛웃음을 터뜨렸다.

"……그래요. 이제 나를 정부에 잡아갈 텐가요?"

"제가, 책임자님을요. 그렇게 말씀하실 거라면 왜 제게 이런 것들을 알려주려 한 겁니까?"

"이용당하는 것은 당신도 마찬가지니까. 알고 있었어요. 우연 씨는 정부에서 심은 감시자고, 맡은 일의 대가만 바라보며 내려왔을 뿐이리라는 걸. 아무리 인력난이라 해도…… 수치 읽는 법조차 하나하나 가르쳐야 하는 사람은 발령을 내지 않거든요."

우연은 숨을 참았다. 머릿속이 하얗게 물드는 기분이었다. 어떻게, 언제, 그리고…….

"왜."

지금 무슨 소리를.

"위험을 감수했느냐고요. 제 '수명'도 얼마 남지 않았거든요. 정부가 정하는 수명 말입니다. 지구에 파견을 나와서 단명한 사람들이 줄곧 그랬듯, 머지않아 나에게도 사고사가 찾아올 것 같아서. 몇 가지 이유를 더 붙여볼까요. 우연 씨는 직접 보여준다면 믿을 것 같았어요. 지구의 아름다움과 모두가 평등해질 가능성 따위요. 그리고…… 나를 도울 것 같았죠. 헛꿈은 아니었잖아요."

우연은 말을 잃었다. 관찰하고 기록하는 재주를 타고났으니 적재적소에 쓰여 이득을 챙길 궁리를 한 건 죄가 아니다. 감시자를 필요로 한 정부와 이해관계가 맞았을 뿐이다. 헛꿈이 아니었다는 말조차 반박할 수 없었다. 말단 감사들의 목적은 우연과 같았을 것이다. 정부에 올리는 보고에는 도하의 수상한 움직임이 실렸어야 했다. 그를 정부 측 사람으로 의심했다면 더더욱 그랬어야 했다. 하지만 우연은 형식적인 보고를 올렸다. 간혹 꿍꿍이를 가진 다른 동료들의 행실은 전하면서도 도하의 이야기는 적지 않았다. 진작부터 피어난 의문이 더 관찰하고 싶게 만들었던 걸까. 그렇다면 그 의문의 대상은 도하인 걸까, 우연 자신인 걸까.

"우연 씨는 지구를 그리워한 적 없어요? 이곳에서 일하며 아름답다고 생각한 적 없나요?"

입을 뗄 수 없어 우연은 침묵했다. 그 침묵에서 도리어 답을 얻은 도하의 눈이 한층 빛났다.

"먼 옛날 지표에 살아가던 사람들은 높을수록 좋은 것이라 여겨 하늘을 동경했다는데, 우리는 여전히 머리 위쪽으로 나아가고자 하는 본능이 있는 걸까요? 하우스에 사는 우리들의 머리 위에도 늘 지구가 펼쳐져 있으니까요. 나는 모두가 우리의 고향땅을 밟을 수 있길 바라요."

나도 그래요. 불쑥 튀어나오려는 대답에 우연은 자신의 입을 가렸다. 새파란 하늘, 부드러운 흙, 나뭇잎이 바람에 스치는 소리. 지칠 때까지 걸어도 가까워지지 않는 지평선, 하늘이 눈물을 흘리듯 몸을 식혀주는 빗방울. 눈앞에 가득한 초록빛. 초록빛. 초록빛. 벗어나고 싶었던 꼭대기 궤도와 모든 순간 동경했던 낮은 궤도. 그러니까, 정부의 하우스보다도 더 낮고 안정적인……

나도 그래요. 이 지구에서 살아가고 싶습니다. 누군들 안 그럴 수 있겠습니까. 우리는 결국 지구의 후손인 것을.

\*

"당신의 도움이 필요해요. 개인 수송기도 숱하게 타본 사람처럼 익숙해 보였고, 평소에 주변을 관찰하는 눈이나 보고서를 쓰는 언어가 날카로웠어요. 하우스 시절에는 취재를 담당했었죠?"

"조금 억울해지려 해요. 관찰로 따지자면 도하 씨가 저보다 한 수 위인 것 같은데요."

"하하, 전부 생존 기술이죠……. 지금도 취재 요청 받나요?"

정부를 설득하는 것은 생각만큼 어렵지는 않았다. 우연이 지구의 위험성을 떠벌리는 기사에 관여한 건 하루 이틀이 아니었다. 수상한 동료들을 고발하고, 익숙한 얼굴들이 사라지는 동안에도 질문 한 번 한 적이 없는 우연이었다. 이전 폭파 사건과 같은 일을 벌이는 반란 세력을 폭로하는 보도를 하겠다고 하자 곧장 수락이 떨어졌다. 정부는 여전히 우연이 '그 일'을 반역 세력이 벌였다 철석같이 믿는 저들의 무지한 끄나풀이라고 확신하는 모양이었다.

당연한 절차처럼 각 하우스와 지구가 인터넷망으로 연결되었다. 우연은 새삼스럽게 지구와 하우스가 그리 멀지 않음을, 고작 몇 초의 통신 거리가 그렇게나 많은 몰이해를 자아냈음을 실감했다.

도하의 계획은 단순했다. 실시간 중계가 이어짐과 동시에 정화가 거의 마무리된 땅에서 도하가 직접 보호복을 벗는다. 멀쩡하게 생존하는 모습을 모든 하우스가 지켜볼 수 있도록 우연이 정부의 방해를 막는다. 발각되어 화를 입기 전에, 생존이 가능한 외부 생태계에 터를 잡는다.

"정말 괜찮겠어요?"

도하가 담담히 웃었다.

"걱정하지 말아요. 이 지구의 상태를 나보다 더 잘 아는 사람은 없으니까."

그래봤자 인간의 지식은 여태 보호복 한 번 벗어보지 못했잖아요. 이렇게 간단한 일이었다면 그동안의 숱한 죽음은 왜 막지 못했나요? 초치는 말이 뭉게뭉게 피어올랐다. 불쑥 내뱉어버리지 않으려 입안 여린 살을 지그시 깨물었다. 굳이 말하고 싶지 않았다. 달리 말하자면 그의 말을 믿고 싶었다. 도하의 말을 믿어도 될까. 괜히 안온했던 삶이 송두리째 무너지는 건 아닐까. 보호구를 벗은 그가 죽어버리면 어떡하나. 그를 따라 지구에 정착한다면 차후 온갖 질병에 시달리다 고통스러운 최후를 맞게 되는 건 아닐까. 불안에 시달리면서도 우연은 도하의 계획을 착실히 이행했다. 생중계 날짜는 빠르게 다가왔다.

*

도하가 모두를 이끌고 향한 곳은 우연도 들은 적 없는 장소였다. 도하가 의도적으로 숨긴 것이 분명했다. 한 번도 발표한 적 없는 구역이니 정부도 모를 터였다. 따라오는 인원 중 몇몇도 고개를 갸우뚱했지만 크게 신경 쓰지는 않는 눈치였다. 오지로 생태 점검을 가는 건 늘 있는 일이니까. 우연은 그 사이 단단한 눈빛을 한 사람들을 발견했다. 도하와, 그리고 우연과 같은 꿈을 꾸는 이들이었다. 도하가 알려준 적은 없지만 우연은 그들의 표정을 보는 것만으로도 알아챌 수 있었다. 카메라를 말아쥔 손이 축축해졌다. 혼자가 아니라는 것이 불안감을 가라앉혔다. 동시에 긴장감이 가중되었다. 오늘 걸려있는 목숨이 많았다.

인류가 지구를 터전 삼아 살아갔을 시절부터 전해지는 이야기가 하나 있다. 어떤 왕이 죄인을 심판할 때 두 개의 문 뒤에 미인과 호랑이를 숨겨두었다고 한다. 죄인이 하나의 문을 선택해서 열었을 때 호랑이가 나온다면 찢겨 죽지만, 미인이 나온다면 그는 무죄를 선고받음과 동시에 문 뒤에 있던 미인과 결혼하게 되었다고. 이 겁 없는 도박은, 승리의 신은 감히 지구를 탐한 이를 징벌할까. 혹은 그 무고함을 알아보고 손을 들어줄까. 열어젖힐 문 뒤에 호랑이가 기다리고 있는 건 아닐까.

우연이 카메라를 켜고 중계를 시작하는 버튼을 켰다. 아무것도 모른 채 수군거리던 이들이 입을 다문다. 긴장이 흘렀다. 지금 이 자리에서 무언가가 바뀔 것을 모두가 깨닫기까지는 오래 걸리지 않았다. 카메라의 윗부분에 작은 빨간 등이 들어왔다. 'ON AIR', 수백만 하우스의 인터넷이 성공적으로 연결되었음을 알리는 표식이었다. 방송이 시작되고 곧바로 정부에서 출동한다면 지구까지 예상소요시간은 45분. 남몰래 수송선에 제약을 걸고 정부의 중계 확인을 방해했으므로 추가로 확보할 수 있는 시간은 10분여가량이다. 도하와 눈이 마주쳤다. 시작되었는지 확신을 구하는 물음이리라. 우연은 작게 고개를 끄덕여 답했다.


수천수만 번을 쓰고 벗었을 보호구인데도 연결부를 끌러내는 그의 손길이 느리다. 정부가 방송 송출을 막을 수 있는 모든 경로를 다운시켜두었음에도 그 느린 동작에 가슴이 두근거린다. 그러니 이건 두려움보다도, 아마 설렘에 가까운 감정.

상쾌한 바람이 머리카락을 스친다. 꽃잎이 흐드러져 모두의 머리 위에 떨어진다. 오염 경보에 자원했을 때처럼 자각하지도 못한 채 얼굴을 가린 보호구를 벗는다. 숨을 깊이 들이마신다. 솔잎 향, 풀꽃 향,

순수한 흙의 냄새와 거름의 체취. 처음 만끽하는 바람. 피부를 스치는 공기를 따라 기분 좋은 소름이 오소소 올라온다. 바라보던 다른 사람들도 하나둘 홀린 듯이 거추장스러운 것들을 벗는다. 생방송은 여전히 이어지고 있다. 수백 년 만에 인간이 지구에 첫 숨을 토해낸다. 먼 옛날 달에 도달한 인류가 발자국으로 첫인사를 건넸다면, 지금 내쉬는 첫 숨은 지구에 구하는 인류의 첫 사죄일 것이다.

통신은 끊어지지 않는다. 지구의 바람을 만끽하는 이들의 모습이 지구의 모든 궤도에 전송된다. 확보해 낸 55분, 생중계 영상의 마지막 프레임까지 단 한 사람도 피를 토하거나 쓰러지지 않는다.

*

통신이 적절한 순간에 종료된 것은 가히 행운이었다. 모두가 정부와 완전히 돌아선 것은 아니라지만 적어도 나와 그는 도망쳐야 했고, 정부 측으로 추정되는 수송기가 보이자마자 꽁지 빠지게 달려 달아났기 때문이다. 호흡이 턱까지 차올랐을 때 숨을 몰아 내쉬며 웃음이 터져 나왔다.

정말 안전할 거라 믿었습니까?

사실 확신하지는 못했어요. 여차하면 경치 좋은 곳을 골라서 무덤 삼을 생각이었죠.

그런 장면이 송출되어서 정부의 주장을 뒷받침하는 꼴이 되면 어쩌시려고.

당장 죽지는 않을 거라 생각했어요. 식물들도 몇십 년을 버티는데, 그보다 연약한 인간이라 해도 고작 55분 못 버티겠어요?

사기꾼 같으니. 지금 자연스럽게 제가 확보한 시간까지 포함해서 말씀하신 거 아십니까.

뒤집힌 세상이라고 해서 물구나무서서 걸어 다닐 이유 없다. 높은 곳도 낮은 곳도 구분 없는 세상을 보련다. 인간의 시야는 원래 평면적인 법 아니던가.

도하가 품에서 얇고 작은 녹색 물체를 한 움큼 꺼내 허공에 뿌렸다. 나풀거리는 얇은 조각들이 반짝이며 사방에 흩날렸다. 익숙한 색채였다. 앞으로 날아든 조각이 땅에 내려앉기 전 하나를 붙들어 살펴봤다. 몇 초 뒤에야 겨우 알아차렸는데, 도하가 모종을 가꾸고 식물을 보호할 때마다 꺼내 들던 녹색 비닐이었다. 하나하나 꽃잎 모양으로 잘라 내어 만든 콘페티였다.

사실 비닐을 더 챙겨왔어요. 몇십 년을 도망다니더라도 가는 곳마다 뿌릴 수 있을걸요.

지구를 복구하는 일에 삶을 헌정하신 줄 알았는데요, 왜 오염물질을 가는 데마다 늘어놓을 생각을 하시는 건가요.

어떤 비닐은 500년이 지나도 썩지 않는다고 해요. 인공생태계를 형성할 땅을 찾아다니다 보면요, 몇백 년 전에 멸망한 조상 인류가 버린 비닐 쓰레기가 아직도 발굴돼요. 그걸 통해 문헌으로만 배운 과거 문명을 가만히 더듬어보게 되죠. 미래에, 지구에 온 우리의 후손들이 이

꽃잎들의 정체를 궁금해할지도 모르겠어요. 예쁘지 않을뿐더러 아무 쓸모도 없어 보이는 영문 모를 비닐꽃을 보면서 축제에 쓴 물품이다, 수송기의 연료였다, 지구로 돌아가길 바라는 기원을 담아 종교적 의식으로 뿌린 것이다……. 우리가 구인류의 이야기 대부분을 소실했듯이 우리의 이야기가 전해지지 않는다면요.

지구 생태계를 사랑해 마지않는 사람이 생태계에 녹아들지 못할 꽃잎을 뿌린다. 그와 내가 다녀간 흔적이 점점이 남는다. 이 순간, 그와 나는 같은 꿈을 꾼다. 모두가 하늘에서 내려오는 것. 동등한 높이의 세상에서 땅을 밟고 생활하는 것.

어느새 초록빛이 차오른 숲에 이른다. **개천시대**, 아니, 오늘 시작된 **개지(開地)시대** 최초의 완전한 생태계. 인류가 다시 지구의 품에 돌아올 것을 기어코 확신하고 만다.

달에 첫발을 디딘 구인류를 따라 하듯 이슬 맺힌 땅에 발자국을 남겨본다. 부드러운 흙에 다섯 개의 발가락이 또렷하게 남는다.

익숙한 풀꽃의 향이 난다.

# Able ai

엄태경(글소리)

**엄태경(글소리)**  상상력이 많고, 미래와 인공지능에 관심이 많다.

사람간의 관계에 대한 많은 생각을 하고

외로움과 이기심이 만연해진 사회에서의

인간성 회복을 지향한다.


instagram: @umbelievable_5201

거짓행복이라도 행복하고 싶었다. 내가 만든 행복이라도, 행복하면 그만이었다. '트루먼 쇼'의 트루먼은 자신의 진짜 행복을 찾겠다고 가짜세상을 나왔고, '매트릭스'의 네오는 매트릭스에서 깨어나서 진짜세계로 나왔지만, 난 그들의 선택이 어리석었다고 생각한다. 지금의 나는 나의 행복을 위해 이렇게 팔로워를 사기도 하고 가상의 남자친구를 만들어 그와 이야기도 한다. 그리고 나는 가상의 힘을 빌려 또 하나의 기적을 탄생시키고자 한다.

태선은 평범한 여자였다. 동그란 얼굴형에 너무 마르지 않은 체형, 옅게 자리 잡은 쌍꺼풀 쳐진 눈과 오똑하지 않은 코는 딱히 더 모자랄 것도 더할 것도 없었다. 알록달록한 색깔의 옷보다는 편하게 입을 수 있는 무채색의 상의와 하의는 그녀가 딱히 자신을 꾸미고 가꾸는 것에 대해서 신경 쓰지 않는다는 것을 보여주는 듯 했다. 하지만 너무나 무난한 탓에 그녀는 무언가 내세울 만한 특별함이 없다는 것이 가장 큰 그녀의 단점이었다.

외모, 학력 성격 그 어느 것도 뭔가 '특출 나게 뛰어난다!' 라고 하는 것이 없었다. 화장을 하면 그래도 괜찮아 질까 싶어서 화장품을 사 모 았지만 그마저도 딱히 쓸모 없었고 성형을 한다고 해서 드라마틱하게 변화하는 것도 아니었다. 그나마 이전부터 재능 있다고 평가 받았던 글짓기에서 두각을 나타내려고 했지만 그저 실상은 웹상 조회 수 30 을 웃도는 작가였다. 이러한 그녀가 가장 타격을 받는 것이 바로 사람 간의 관계였다.

친구에 한창 예민한 학창시절 "공부를 못하면 얼굴이 예쁘기라도 하던가, 그렇지 않으면 사회성이라도 좋던가." 그녀의 어머니가 입버 릇처럼 하시던 말은 평범한 그녀의 자존감을 짓뭉겠다. 낮아진 자존감 탓에 누군가에게 다가서는 게 어려워진 그녀는 자연스레 학창시절 친 구무리에게 소외되기 일쑤였다. 그러나 쥐구멍에도 볕들 날이 있다고 그녀에게도 처음으로 말을 걸어주는 친구가 생겼다. 인생 처음으로 우 정이 무엇인지 알려준 친구였기에 놓치고 싶지 않았던 친구였다. 자신 이 베풀 수 있는 최선의 것을 항상 베풀었고, 친구에게 거짓된 것은 나 쁜 거라고 생각해서 항상 무슨 일이 있든지 다 솔직하게 말했다. 그것 이 기쁜 일이든, 슬픈 일이든.

"미안한데 태선아, 내가 지금 너무 힘들거든. 네가 솔직한 건 좋지 만 내 기분 고려 안 하는 것 같아서 부담 돼. 더 이상 연락하지 말아줬음 좋겠다."

분명 그녀는 친구에게 너도 힘든 일이 있으면 이야기 하라고, 기대도 되고 다 들어줄 테니까 괜찮다고 이야기했다. 서로 희로애락을 나누고 솔직한 마음을 나누는 것이 최선이라 생각했지만, 돌아온 것은 자신의 기분을 고려하지 않았다던 친구의 대답이었다. 처음 사귀었던 친구여서 의지하고 싶었고, 상대가 의지한다 하더라도 괜찮았는데 그것이 누군가에게 불편함이 될 수 있다는 사실을 깨달은 후부터는 자신이 누군가에게 피해만 준다는 생각에 사람과의 관계를 맺는다는 사실 자체가 어려워졌다.

그렇다 보니 제 아무리 외모가 자신의 취향이라던지 혹은 자신과 어느 정도 스몰토크가 됐던 사람들도 그저 '스몰토크'로만 끝낼 뿐, 따로 연락을 한다던지 더 이야기를 나누는 일은 없었다. 정확하겐 더 이상 사람을 위한 관계 노력을 하고 싶지가 않아졌다. 딱히 내세울 것 없는 자신이 다른 사람과 이야기를 나누면 너무 작아지는 느낌이 들어서였다.

하지만 정말 한 순간이었다. 그토록 인간관계에 있어서 나태했던 태선에게서 처음으로 노력하고 싶은 사람이 생겨버린 것은 바로 어제의 일이었다.

"자 오늘은 각자 팀원끼리 본인들이 쓴 글에 대해서 피드백 하는 시간을 가져보도록 할게요."

　작가가 되는 것을 희망했기에 가입한 책 출판 모임 그날은 그녀는 그녀가 준비한 원고를 가지고 다른 이에게 피드백을 받는 날이었다. 그녀의 팀원이었던 수혁은 사뭇 진지한 얼굴로 그녀가 쓴 원고를 스크롤을 내리며 보고 있었다. 모임에 온 첫날부터, 사실 수혁은 태선의 외적인 이상형에 100프로 부합하는 사람이긴 했다. 180cm가 조금 넘는 키에 까무잡잡한 피부, 그리고 웃을 때 자연스럽게 눈웃음이 지어지는 그는 사실 태선뿐만 아니라 다른 사람들의 이목도 사로잡을 수 있는 얼굴이었다. 하지만 길거리를 걸어 다니다 보면 자신의 이상형과 부합하는 사람은 항상 한두 명씩 나타날 수 있었는데다가 그 동안 사람을 대하는 법도, 딱히 누군가에게 말을 걸어서 인간관계를 형성한다 라는 사실 자체가 너무나 서툴렀던 태선에게는 수혁은 그저 팀원으로써만 두는 게 그녀의 마음이 더 편할 것 같았다. 괜히 욕심냈다가는 모든 것을 망칠 것만 같았다. 하지만, 그런 그녀의 다짐이 무색하게 만든 건 아이러니하게도 그가 태선에게 남긴 피드백 때문이었다.

　"좋은데요?"
　"네? 뭐가요?"
　"그냥 전부 다요, 글감도 그렇고, 소재도 그렇고, 작가가 따뜻한 시선으로 사람들을 바라보는 것 같아요". 사실 태선 스스로가 생각하기엔 우울하기 짝이 없는 내용이었다. 단지 마음을 터놓을 수 있는 친구를 만들고 싶었던 솔직한 주인공이 사람들에게 있는 것 없는 것 다 주며 친구를 사귀어보려 하지만 절친한 친구들에게 배신당한 후 현실세계에서 죽고, 이세계로 가서 마침내 자신의 진실함을 알아주는 사람을 만나 행복하게 살아간다는 내용. 사실 주인공의 상황은 태선의 상황과 똑같았다. 분명 '따뜻함' 이라는 단어는 그녀의 입장에선 절대 나올 수 없을 것 같은 단어였다.

"따뜻함이요..?"

"네, 따뜻함이요."

의심을 품고 물어보자 그가 다시 확신을 가지고 대답을 했다.

"왜죠?"

"사회에서 있다 보면 항상 사람들을 감추기만을 급급해요. 자신이 잘 보이고 싶으니까요. 근데 이 글의 주인공은 한 번도 타인에게 자신을 숨기지 않았네요, 그게 물론 누군가에겐 안 좋게 보일 수도 있어도 전 그게 따뜻하고 용기 있는 거라고 생각해요. 각자가 편하고자 거짓말이 판치는 세상 속에서 진솔함으로 누군가를 대한다는 건."

수혁의 한마디에 단조로웠던 태선의 머릿속에는 파도가 몰려왔다. 따뜻하고 모든 걸 위험으로부터 보호해 주는듯한 파도…그의 한마디는 그 동안 자신을 이해해주지 못하고 외면하기만 했던 다른 사람들과는 달리, 자신의 입장을 알아준다는 것만으로도 큰 위로이자 감동이 되었다.

그 날 이후로 태선의 마음 한편에 수혁이란 존재가 아주 크게 자리

잡았다. 처음으로 관계에 있어서 노력을 하고 싶어졌고, 다가가고 싶어졌다. 그렇지만 도무지 용기가 나지 않아 지금도 여전히 포털 사이트 속에서 '짝사랑' "짝사랑 이루는 방법' 에 대해서만 수도 없이 검색하는 중, 의문의 광고가 그녀의 눈을 사로잡았다.

'able AI' 여러분이 원하는 목표! 무조건 이뤄드립니다. 지금 설치하세요!"
팝업창을 클릭하니 사용법이 자세하게 나와 있었다.

**1. Able ai**를 스마트폰 앱스토어(아이폰) 구글 플레이 스토어(안드로이드)에 검색 후 스마트폰에 설치합니다.
**2.** 설치 후 원하는 홈 화면 빈 칸에 원하는 목표를 자세히 적은 후 확인 버튼을 눌러줍니다!
**3.** 끝! 그 후엔 able ai 가 그 날 여러분이 그 목표를 이루기 위해선 무슨 일을 해야 하는지 아주 자세하게 문자로 알려줍니다! 믿고 맡겨만 주세요! 성공률은 백프로 입니다.

**"수능 7등급.. 1년 안에 바로 서울대 합격 했습니다. (김00, 고등학생)" "계속해서 짝사랑 하던 그 사람, 이젠 저와 결혼합니다.(서00)"**

'인공지능' 그리고 '목표' 지금 태선의 상황에 가장 적합한 두 키워드였다. 망설일 이유가 없이, 이 프로그램을 다운 받아서 수혁을 자신의 애인으로 만들 수 있는 방법을 찾기만 하면 되는 것이었지만 순간 수혁이 말한 한 마디가 머릿속을 스쳐갔다. 진솔함이야말로 용기 있고 대단한 것이라는 것. 그녀에게 큰 위로이자 그녀가 수혁을 사랑하게 만든 한마디였지만 태선은 한편으로는 두려움도 컸다. 과연 제 아무리 그가 진솔한 사람의 모습을 선호한다. 그래도 진짜 자신을 드러낸다면 과연 그는 자신을 사랑할 수 있을까? 수혁도 다른 자신이 만났던 사람들처럼 태선을 떠날 수도 있는 사람이고 그의 한마디도 그저 느낀 점일 뿐, 막상 그도 태선 자신과 같은 사람을 만난다면 도망갈 수도 있다는 것이라는 생각이 태선의 머릿속을 지배했다. 그리고 그러한 두려움은 그녀가 곧바로 able AI를 검색 후 스마트폰에 앱을 설치하게 만들었다.

설치 중 이라는 로딩 메시지가 빙빙 돌아갔고, 완료라는 알림창이 뜨자마자 애플리케이션을 켰다.

Able AI라는 바탕체가 홈 화면에 크게 쓰여있었고 그 밑에는 시작하기 버튼이 밑에 있었다. '시작하기'라는 버튼을 누르자 가입에 필요한 개인정보 작성란이 적혀 있었고, 태선이 정보를 입력하자 몇 초가 지나지 않아 ai는 태선의 정보를 완벽하게 요약하였다.

**이름: 윤태선**

**직업: 무직**

**장점: 글을 잘 쓰고, 공감을 잘 해주며 진솔함**

단점: 사회성 부족 낮은 자존감

**총평: 분석결과 외모, 지능, 개인능력 하위 30% 상위로 가기까지 able AI와 최소 1년 6개월 의 훈련이 필요.(재수, 성형, 스펙 쌓기)**

**'당신이 되고 싶은 모습은 무엇인가요? AI가 당신의 데이터베이스에 근거하여 당신의 단점을 커버할 수 있는 솔루션을 드리도록 하겠습니다.'** 라는 글 밑에 큰 입력창에는 커서가 깜빡 거리며 움직이고 있었고, 태선은 커서를 터치하여 한 글자 한 글자 조심스레 입력하기 시작했다.

'내가 짝사랑 하는 상대를 내 것으로 만드는 것.' 이라고 치려다가 너무 정보가 부족한 것 같아서 입력창에 정보를 조금 더 추가해서 적었다.

'나의 지나친 진솔함 때문에 그 동안 인간관계가 힘들었다. 하지만 이번에는 정말로 좋아하는 사람이 생겼고 그가 하는 말이 나에게 위로가 되었다. 그가 내 남자였으면 좋겠다.'를 타이핑 한 후, 입력버튼을 눌렀다. 그 순간 완료라는 문장이 뜨더니, 문자 하나가 태선의 폰에 떴다.

'안녕하세요. 윤태선 님, 고객님의 AI 답변을 잘 보았습니다. 고객님이 짝사랑 하는 상대에 대한 정보가 부족해서 그런데 상대에 대한 추가적인 정보를 요구해도 되나요? (나이, 이름, 거주지) able AI는 절대 개인정보를 노출하지 않습니다.'

태선은 당황스러웠다. 나이나 직업 등 개인적인 것을 공개하면 안 되는 글짓기 모임 특성상 그녀가 아는 것이라고는 그의 이름 하나 밖에 없었다. 그렇게 고민하던 끝내 순간 태선은 단톡방에 있는 그의 카카오톡 프로필이 떠올랐다. 제 아무리 개인정보를 넘기는 것이고 그녀에게 있어서 그것이 양심의 가책이 될 만한 행동은 맞았지만, 그래도 수혁을 자신의 남자로 만들 수 있다는 그 욕심이 더 컸기에 결국 수혁의 프로필을 복사하여 able AI에게 전송하였다.

그러자 얼마 지나지 않아 태선에게 답장이 왔다.

'보내주신 정보를 토대로 태선님이 수혁님에게 좋은 첫인상을 남길 수 있는 방법을 추려 보았습니다.'
'단발머리로 자르기(신사동 00 미용실에서 그분이 원하시는 최적의 스타일을 맞추실 수 있습니다.'
'자연스러운 대화 스킬을 이용하세요, 수혁님과 태선님의 공통된 취미는 글쓰기 입니다. 수혁님은 SF 소설 또는 영화를 좋아하니 첫날은 그에 관한 대화를 태선님이 이끌어간다면 될 것 같습니다.'
'메이크업은 최대한 연하게 립만! 과한 메이크업은 상대의 호감을 떨어뜨립니다.'

'제일 중요! 꼭 다음에 시간 나면 서점을 같이 가서 책을 고르자고 하세요! 아마 약속을 잡을 확률이 200프로 올라갈 것입니다. 그럼 다음날 있을 모임의 건승을 빕니다'. -able AI 일동-

AI의 대답은 굉장히 자세하고 족집게 같았다. 이전에 유행했던 픽업 아티스트들이(이성의 마음을 얻는 방법을 알려주는 사람들) 가진 능력보다 훨씬 더 효율적으로 보였다. 태선은 이전부터 누가 무엇을 하라 그러면 따르는 성격은 아니었다. 이전부터 의심이 많은 성격이라 항상 선생님이나 누군가가 무언가를 지시한다면 자신의 잣대 때문에 일을 망치고는 했다. 하지만, 지금은 달랐다. 그녀는 수혁에 대해 아는 정보가 아무것도 없었기에 그녀가 그에게 다가갈 수 있는 방법은 컴퓨터가 내놓은 답변을 따르는 것 말고는 없었다. 그렇게 태선은 스마트폰으로 able AI의 창을 나가고 지도로 신사 00 미용실부터 찾기 시작했다.

---

그렇게 다음날이 되었다.

"안녕하세요. 어서 오세요."

또랑또랑한 강사님의 목소리에 사람들이 한두 명씩 인사를 나눴다. 수혁 역시 자리에 앉아 여러 사람들과 인사를 나누고 있었다.

"자 오늘은 드디어 팀끼리 같이 앉아서 서로의 이야기에 대해서 피드백을 해보는 시간을 가질 건데요. 파트너 발표하도록 하겠습니다."

"차수혁, 윤태선"

태선의 이름이 불리자마자 수혁의 시선은 태선의 얼굴을 찾아보고 있었다. 그러나 아무리 봐도 그녀의 모습은 보이지 않았다. 그 순간, 덜컥 하는 문소리의 수혁을 포함해서 많은 시선이 향했다.

"죄송합니다."

컬이 들어간 단발머리에 하늘하늘한 꽃무늬 원피스, 옅은 분홍빛의 립글로스만 살짝 바른듯한 얼굴. 그 동안 긴 머리에 바지 항상 입술 가득 립스틱을 채우고 다니던 태선의 모습과는 확실히 다른 여자가 수혁의 눈에 들어왔다. 분명 3주내내 태선을 봐오긴 했지만 그가 알던 모습과는 전혀 달랐다. 하지만 그녀의 다른 모습이 너무나도 좋았다.

그리고 태선 역시 그가 자신에게 머무르는 시선이 평소와는 다르게 조금 더 길어졌다는 사실을 파악할 수 있었다.

"태선님! 얼른 수혁님 옆에 앉으세요. 오늘은 두 분이서 뭘 쓰실지 이야기하시면 됩니다!"

강사의 말에 둘은 시선교환을 멈추고 태선은 조심스레 의자를 끌어 수혁의 옆에 앉았다.

"아 죄송해요 제가 너무 늦었죠?"

"제가 먼저 쓰고 싶은걸 공유해도 될까요?"

평소와는 다르게 태선은 AI가 명령한대로 수혁과의 대화를 이끌어

가기 시작했다. 평소 태선이었다면 절대 하지 않았을 행동이었기에 약간의 어색함은 묻어났지만 그래도 이렇게 하지 않는다면 수혁에게서 자신을 어필할 하나의 기회를 놓치는 것만 같았다.

"네. 좋아요."

"일단 저는 SF소설을 쓰고 싶어요, 요즘 유행하는 AI를 이용한 소설이라거나 아님"

태선은 AI가 시킨 대로 최대한 자연스럽게 "SF"라는 코드를 넣기 위해 애를 썼고, SF라는 말을 듣자마자 수혁의 시선이 반짝이는 것을 확인하자 안도감이 몰려왔다.

"어떤 SF소설이나 영화 좋아하세요?"

처음으로 자신을 향해 물어본 수혁의 질문에 태선은 기분이 들떴다. 동시에 수혁을 향했던 태선의 어색함도 조금은 풀어질 수 있었다. "저는 거의 다 좋아해요. 특히 영화 'her' 재미있게 봤어요. 인공지능을 이용한 사랑이야기. 결말도 마음에 들었어요."

"좋아요, 나중에 써보시면 꼭 저한테 원고 또 보여주세요!"

수혁은 싱긋 미소를 지으며 태선에게 말했다. 그 순간 태선의 시야는 수혁 하나만 빼고 모든 것이 사라졌다. 태선이 수혁에게 반하게 만들었던 그 미소, 그 미소가 자신을 향했다는 사실 하나만으로 태선의 시야는 수혁을 제외하고 모든 게 사라지는 듯 했다. 강의실의 모든 목소리도, 열심히 작품에 대해서 의논하는 다른 사람들의 모습도 그저 태선에게는 배경으로만 비춰졌다. 그렇게 수혁에 대한 감정에 너무 깊이 빠져버린 나머지 그의 얼굴만을 쳐다보다가 그가 하는 말을 제대로 듣지도 못하고 모임을 마칠 시간이 되었다. 수혁이 가방을 챙기고 강의실 문을 나가려는 순간, 태선의 머릿속에 able AI의 서점을 가자고 제안해달라는 메시지가 스쳐 지나갔다.

"저기.. 수혁님?"

"네,?"

"실례가 안 된다면 혹시 다음 주 모임 마치고 SF 독립서점 같이 안 가실래요? 저.. 저희 같이 쓰려는 장르도 같고 그래서 자료조사 겸.."

분명 AI가 시키는 대로 말을 내뱉었지만, 태선이 누군가에게 무언가를 제안한 적이 너무 오랜만이라서 그런지, 확신도 있었지만 두려움이 공존하는 마음속에서 수혁의 답변을 기다렸다. 수혁은 갸우뚱 하는 표정을 짓더니 이내 다시금 웃으며 태선의 제안에 화답했다.

"좋아요"


"앗싸! 야호!"

수혁의 대답에 태선은 어린아이처럼 조금은 정신이 이상해보일지 몰라도 소리를 지르며 시끄럽게 집으로 돌아갔다. 한 손에는 자신의 스마트 폰을 든 채 엄청난 환호성을 지르는 그녀를 사람들은 이상한 눈으로 힐끔힐끔 쳐다보았다. 하지만 상관없었다. 그녀는 수혁에게서 자신이 원하는 대답을 얻었다는 것만으로 그녀는 그녀 인생에 있어서 첫 걸음을 땐 것이나 다름없었다. 그런 그녀의 마음을 들은 것인지 그녀가 집으로 돌아오자마자 문자 알림 소리와 함께 able AI 에게서 문자가 왔다.

'안녕하세요. 태선님, 저희의 서비스는 어떠셨나요? 아쉽지만 저희의 무료서비스는 오늘이 마지막입니다. 더 많은 이용을 원하신다면 밑에 링크를 클릭하셔서 정식구매를 눌러주세요! 앞으로 더 최상의 서비스를 제공하도록 노력하겠습니다.' -able AI 일동-

태선은 문자를 빠르게 읽자마자 당장 핸드폰의 링크를 들어갔다. 앱을 사용하기 전 이걸 쓰는 것이 정말 괜찮은 걸까 했던 망설임은 온데간데없이, 재빠른 속도로 가입에 필요한 정보들을 적어나가기 시작했다. 비록 한 달에 50만원이라는 가격에 번번한 벌이가 없던 그녀의 손이 멈칫했지만 그것이 그녀를 가입하는 것에 있어서 전혀 거리낄 것이 되지는 않았다. 당장 며칠 후에 있을 어쩌면 그녀의 운명이 달린 데이트를 기어코 망칠 수는 없었다. 가입정보와 결제를 마친 태선은 앱을 킨 후 입력창에 데이트에 관한 질문을 입력하기 시작했다.

'다행히 덕분에 서점 같이 가게 되었어. 그도 나를 엄청 좋아하는듯한 눈치인 것 같아 보였어. 나에게서 시선이 머무는 속도가 길어진 것을 느껴. 그냥 이번 기회로 그가 나에게서 고백했으면 좋겠어. 어떻게 하면 좋을까?'

"띵동"

입력창을 누르자마자 메시지 알림음과 함께 답장이 왔다.

'다음 주 데이트에서 '윤태선' 님이 '차수혁' 님에게서 고백을 받기를 원하시는 거군요.'

**1. 드레스코드는 저번이랑 하늘하늘한 원피스를 입어주세요**

**2. 수혁님은 아닌 것 같아 보여도 태선님 만큼이나 마음의 상처가 있는 사람입니다. 그 상처 때문에 sf 같은 현실에 일어나지 않을 것 같은 소설을 좋아합니다. 그 점을 알고 공감해주세요**

**3. 배려하는 모습을 보여주세요. 독립서점에서 책을 먼저 사주시는 것이 좋을 것 같습니다.**

태선은 평소에 계속 받던 답장임에도 불구하고 이번 답장을 받자 왜인지 찝찝했다. 분명 이 지시사항대로만 한다면 내일 수혁에게 고백을 받을 것이 뻔했지만 뭔가 기분이 딱히 좋지는 않았다. 이상하게 보지 말아야 할 남의 비밀일기장을 훔쳐보는 느낌이 들어서 조금 불편해졌다.

그렇게 마냥 행복하지만은 않은 마음을 안고 데이트 장소에 도착했다. 저만치 너머서 수혁이 자신을 향해 손을 흔드는 것이 보였다. 햇살 아래에서 환하게 웃으며 손을 흔드는 모습을 보자 태선 역시 환하게 웃으며 그를 반겼다. 두 사람은 자연스럽게 SF서점으로 발걸음을 옮겼다. 각자 좋아하는 책을 추천하며 이야기를 많이 나누기 시작했다.

"근데 수혁씨는 SF 소설을 왜 좋아하세요?"

사실 태선은 수혁의 대답을 알고 있었다. 그가 힘든 자신의 과거 때문에 현실을 도피하고 싶어서 인공지능 같은 가상의 것에 집착한다는 것. 하지만 태선은 수혁이 빨리 자신의 입으로 그 이야기를 하기 원했다. 그래야지 자신이 위로를 해줄 수 있고, 고백 받을 수 있어서였다.

"제가 사실 이전에 좀 힘들었어서요. 이런 공상 과학 영화를 보며 치유 받았거든요. '이런 곳에서 행복하게 살고 싶다.'라는 생각도 들었고요."

"많이 힘드셨겠다. 수혁씨, 좋은 사람이니까 현실에서도 행복하실 거예요. 앞으로"

태선의 위로에 수혁은 감동한 듯 그를 벅찬 표정으로 쳐다보았다. 수혁은 태선만큼이나 솔직한 사람이었기에, 그의 표정만으로도 태선은 그가 얼마나 자신에게 진심으로 위로를 받았는지 알 수 있었다. 그녀 역시 그에 대한 위로는 진심이었다. 하지만 수혁이 이미 이럴 것을 알아서일까 딱히 큰 감흥이 없었다. 그저 잘 짜인 대본을 연기하는 연기자 같은 느낌이 들었다. 그렇다고 해서 이제 와서 진심으로 그를 대했다가는 수혁에게 오늘 고백을 받을 수 없었다. 그 동안 그녀는 한 번도 자신의 뜻대로 해서 무언가를 얻은 적이 없었기에 ai가 명령한 대로 행동했다. 독립서점에서 그가 마음에 들어 한 책도 미리 사서 그에게 건넸고 목이 말라 보이는 그를 위해서 시원한 음료수를 그에게 사주었다. 짙은 여름밤의 하늘만큼이나 그들의 관계도 짙어지고 있었다.

"오늘 즐거웠어요."

지하철역으로 가기 전 태선은 웃음을 지으며, 수혁을 향해 간단한 인사를 건네며 돌아가려던 찰나였다.

"저기. 태선씨.."

수혁의 느린 말투에서 태선은 이미 직감했다. 이제 자신이 그토록 고대하던 순간이 벌어질 것이라는 것을. 이제 그녀의 인생에게도 연애라는 하나의 새로운 역사가 쓰일 순간이었다.

"저.. 괜찮으시면 저랑 한 번 만나보시지 않으실래요?"

"좋아요"

비록 예상했던 고백이었기에 설렘 같은 건 없었지만 그래도 괜찮았다. 이제는 수혁이 자신의 연인이고 앞으로 그와 함께할 날들을 생각하면 더할 나위 없었다. 그렇게 태선의 삶에 첫 연애가 시작되었다.

둘의 연애는 별다를 것이 없이 흘러갔다. 타 연인들처럼 평범하게 데이트를 하고, 스킨십을 했으며 서로의 취미에 대해서 나누었다. 글짓기 모임에서 만날 때마다 눈빛으로 서로 싸인을 보내며 장난을 치는 등 유치하지만 행복했다. 태선은 그 동안 사람에게서 받아본 적이 없었던 따뜻함을 느꼈다. 또한 수혁이 생각보다 애교도 많고 장난도 잘칠 줄 아는 사람인 것을 알게 되었다. 누군가에게서 제대로 된 사랑을 받아본 적이 없었기에 이 순간이 그녀에게선 너무나도 소중했다. 수혁과 사이가 나빠질 것 같고, 힘들 것 같다면 항상 able AI를 사용해서 질문을 하다 보니 둘의 사이에선 딱히 갈등이라는 것도 일어날 것이 없었다.

하지만 태선의 마음에는 점점 불편함이 자라고 있었다. 수혁에게 질렸다 기보다는 매번 자신이 수혁에 마음에 맞추기 위해 인공지능을 이용해 검색하고 참는 행동 때문에 자신은 하고 싶은 것들을 제지 당해야 했다. 수혁은 사랑을 표현했고 눈치가 별로 없는 태선 조차도 그걸 느낄 수 있었지만 매번 자기 자신의 원래 모습을 감추면서 상대를 대하는 것이 과연 옳은 것인가 라는 의문이 들었다. 또한, 자신은 항상 수혁을 위해서 웃이며 말투며 해야 하는 것 까지 열심히 준비해 가는데 수혁은 그렇지 않은 것 같아서 화가 나기도 했다. 그렇게 평범하지만 혼란스러운 하루하루가 지나다 보니 어느덧 내일이면 둘이 만난 지 1년이라는 시간이 되었다. 둘의 핸드폰에는 '1주년 기념파티 내일' 이라는 알림이 사이 좋게 떴다. 또한 이날은 그들이 처음으로 만났던 글 짓기 모임의 마지막 날이기도 하였다.

1년간 수고하셨다는 강사의 마지막 말을 마지막으로 사람들은 서로 인사를 하며 한두 명씩 강의실을 빠져 나왔다.

"자기야! 자기야!"

어느덧 서로를 '자기' 라는 애칭으로 부를 정도로 태선에게 가까워진 수혁이 큰소리로 외치며 강의실을 나가는 태선을 뒤에서 껴안았다. 수혁의 갑작스러운 스킨십에 태선은 물론, 그 동안 태선과 수혁의 관계를 몰랐던 다른 사람들도 둘을 힐끔힐끔 쳐다보았다.

"내일 우리 일주년인데 가고 싶은 곳 있어? 우리자기 맛있는 거 먹어야지!"

"야, 사람들 보잖아!"

태선은 창피한 듯, 수혁이 두른 손을 빼려고 애썼다.

"뭐 어때, 저 사람들도 이제 다 알텐데, 우리 사귀는 거"

그러나 수혁은 그럴수록 그들이 사귄다는 사실을 증명이라도 하듯, 소리치며 뒤에서 더 세게 껴안았다. 태선은 그런 수혁의 태도가 싫지만은 않았기에 힐끗 미소 지으며 말했다.

"글쎄, 뭐 딱히 먹고 싶은 건 있지는 않은데.. 자기는 뭐 먹고 싶은 거 있어?"

"난 우리 자기가 좋으면 다 좋은데! 오늘까지 정해서 나한테 알려줘!"

"응!"

태선이 고개를 끄덕이자, 수혁이 고개를 돌려 그녀를 향해서 살짝 입을 맞추었다. 태선은 놀란 토끼 눈을 하며 수혁을 바라보았고, 수혁은 그런 그녀를 약올리기 라도 하듯 도망쳤다.

'먹고 싶은 것 이라..'

집으로 돌아온 태선은 인터넷으로 데이트하기 좋은 장소를 찾기 위해 여러 사이트들을 뒤져보고 있었다. 곧 1주년이기도 하고 매번 수혁을 배려해서 먹고 싶은 음식은 참아왔기에 태선은 이번만큼은 자신도 원하는 것을 해보고 싶었다. 그래야만 뭔가 이 관계를 유지하는 것에 있어서 힘이 날 것 같았다. 계속해서 스크롤을 내리자 유럽풍으로 한껏 꾸며놓은 듯한 레스토랑 하나가 눈에 들어왔다. 클릭해서 이미지를 보니 자신이 가장 좋아하는 파스타와 스테이크가 먹음직스럽게 놓여 있는 것이 보였다. 비록 대기 줄은 길어 보였지만 예쁜 풍경과 맛있는 음식은 그녀에게 있어서 기다리기 충분해 보였다. 당장 수혁에게 레스토랑의 링크를 보내려던 찰나, able AI에게서 알림이 떴다.

'안녕하세요. 태선님!
'1주년 기념일이 바로 내일입니다! 이번에도 저희 able AI와 같이 준비하는 것 잊지 않으셨죠? 중요한 날인만큼 잘 준비해 봐요!'

태선은 중요한 날, 혹은 갈등이 있을 때마다 항상 서비스를 이용하다 보니까 able AI 에게는 자동으로 기념일이 저장되어 있을 때 마다 알림이 왔다. 한창 좋은 식당을 찾았는데 뜬 알림은 태선을 걱정스럽고 화나게 만들었다. 분명 AI는 이 식당에 관해서 부정적으로 이야기할 가능성이 있었기 때문이다. 이번에는 이 알람을 무시할까 생각했지만, 수혁이 이 기점을 끝으로 자신을 못 볼 수 있겠다 하는 두려움에 태선은 이번에도 어김없이 알림을 클릭하여 입력창에 자신이 수혁에게서 보내려던 레스토랑의 링크와 수혁과 자신이 1주년이 지나도 여전히 행복하게 자신과 시간을 보냈으면 좋겠다는 내용의 이야기를 쓴 채 답장을 기다렸다.

'벌써 차수혁님과 윤태선님의 1주년이라니 축하드립니다! 하지만, 위 장소를 보아하니 수혁님의 성격상 딱히 좋아할 것 같지 않습니다. 웨이팅 줄도 길고 음식도 수혁님 입맛에 맞지 않겠네요. 그리고 정말 슬픈 이야기일지 모르겠지만 수혁님은 1주년이 지난 지금 태선님과의 관계에 대한 회의감을 느끼고 있으니 에서 서로 진지한 대화를 나누어보세요. 서로의 추억에 대해서 나누면 호감도가 100프로 상승합니다. 다만, 위 장소를 가실 경우 이별할 확률이 100프로 입니다.'

핸드폰 화면에 비친 AI의 답변을 보자마자 태선의 얼굴에는 참을 수 없는 분노가 가득 찼다. 물론 수혁이 자신과의 관계에 회의감을 가진다는 사실은 딱히 화가 나지 않았다. 그저, 이번에도 반대하는 AI와 AI의 명령을 따르지 않으면 이별할 것 같은 이 상황이 화가 났다. 자신만 놓으면 끝나버리는 관계, 자신이 수혁을 더 좋아했고 사랑했기에 나만 붙잡아도 괜찮다라고 생각했지만 그러한 시간이 1년이 지나버리다 보니 이제 태선은 이 상황이 너무나 버거웠다.

"아 짜증나!"

외마디 비명을 지른 후 핸드폰 화면을 거칠게 터치하며 그녀는 able AI의 앱을 종료시킨 후 휴대폰 홈 화면에 있는 메시지 아이콘을 클릭해 수혁에게 링크를 클릭하고 보내려 했지만 그녀의 머릿속에선 계속해서 이별할 확률이 100프로라는 글자가 둥둥 떠다녔다. 동시에 그녀가 able AI를 통해 수혁과 보냈던 나날들, 이전에는 꿈도 꾸지 못했을 수혁과 함께한 달콤했던 순간들이 생각났다. 이번에 만약에 자신이 이 조언을 따르지 않는다면 정말 끝날 것 같다는 두려움에 차마 그녀는 링크를 보내는 것을 그만두고, 수혁에게 보낼 다른 문자를 글자를 타이핑 했다.

'이번에는 그냥 집에서 우리끼리 이야기 하면서 밥 먹자'

무거운 마음으로 느리게 전송 버튼을 누르자, 그녀의 마음과는 다르게 아주 빠른 속도로 가벼운 말투의 답장이 왔다.

'진짜? 그래도 돼? 알겠어. 우리 맛있는 거 시켜먹자! ^^~"

"1년이면 너도 좀 내 마음을 알아줘라. 내가 얼마나 너를 위해서 희생하는데."

세상 행복해 보이는 답장을 뒤로 하고 태선은 한탄스러운 혼잣말을 내뱉은 채 잠에 들었다.


생각이 많고 길었던 밤이 지나고 요란스러운 모닝콜과 함께 아침을 맞았다. 너무나도 혼란스러웠던 탓일까, 태선은 술을 마시지 않았음에도 불구하고 머릿속이 지끈거렸다. 아픈 머리를 부여잡으며 '태선 수혁 1주년'이라는 팻말을 매달고, 케이크 가게에 가서 미리 예약한 케이크를 받으며 힘겹게 집에서의 파티를 준비했다.


"자기야! 나왔어!"

어느덧 오후가 되어 수혁이 도착했고, 밝은 초인종 소리와 함께 수혁이 꽃을 들고 인터폰 너머로 태선을 향해서 미소 지었다. 태선 역시 수혁을 향해 옅은 미소를 지으며 그를 위해 문을 열어 주었다.

"보고 싶었어."

한 손으로는 꽃을 들고 한 손으로는 태선을 꼭 안은 수혁이 그녀에게 꽃을 건넸다. 붉은빛의 장미가 태선의 손안에 담겼다. 사랑이라는 꽃말이 담긴 꽃. 환하게 웃으며 자신을 향해 꽃을 건네는 이 남자는 분명 자신을 사랑하는 것이 맞았다. 항상 자신에게 수도 없이 사랑한다 말했으며, 매번 자신을 안아주었다. 태선 역시 그런 그를 사랑했다. 그랬기에 그를 위해 자신이 좋아하는 것을 포기했으며 그를 위해 스타일을 바꾸었다. 진짜 자신의 모습을 보인다면 수혁은 사랑하지 않을 것 같아서. 그러한 태선의 노력 덕택에 수혁은 끊임없이 그녀에게 사랑을 표현했고, 태선 역시 그토록 원하던 수혁을 남자친구로 얻었다. 하지만 이것이 진짜 그녀가 바랐던 사랑인지 계속해서 의문점이 들었다. 그런 그녀의 마음을 안걸까, 태선이 끌어안고 있던 장미는 왜인지 모르게 싱싱하지 않고 시들어 가는 것만 같아 보였다.


"아, 뭐 먹지? 자기 뭐 좋아해?"

수혁은 소파에 앉은 채, 들뜬 표정으로 배달 앱 스크롤을 내리고 있었다.

"글쎄. 파스타?"

어제 본 먹음직스러운 사진 때문인지 태선은 무의식 중에 파스타가 먹고 싶다고 말을 해버리고 말았다.

"아 파스타! 좋지!"

수혁은 고개를 끄덕이며 곧바로 평점이 높은 파스타 집을 찾아 주문했다.


주문한 음식을 먹는 동안 수혁은 AI가 예상한대로 태선과의 추억에 관한 이야기를 꺼냈다. 가장 재미있었던 데이트, 좋았던 기억 등등에 관해서 신나게 이야기를 했다. 또한 자신이 얼마나 태선을 사랑하고 태선을 앞으로 계속 사랑할 것이라 고백하며 주머니에서 가져온 반지를 꺼내 태선의 손가락에 걸어 주었다.

"사랑해 태선아."

사랑한다는 고백은 분명 달콤했다. 그러나, 딱히 와 닿지는 않았다. 과연 저 말이 진심일까 라는 생각이 들었다.

만들어진 자신의 모습을 통해서 그를 얻는다면 세상을 다 가진 것 같은 느낌이 들 것이다 라고 생각했고, 처음에는 그랬다.

그러나 AI를 통해 만들어진 모습은 진짜 그녀의 모습이 아니었다.

그러다 문득, 태선은 과연 초창기 AI를 쓰기 전에 그녀의 모습조차도 수혁은 사랑했는지를 물어보고 싶었다. 그가 사랑하는 모습이 자신인지, 아님 AI로 만들어진 자신인지를 확인해보고 싶어서였다. 만약 AI로 만든 자신의 모습을 사랑한 것이라면 비록 마음이 아프더라도 태선은 오늘 이별을 고하고 싶었다. 더 이상 수혁만을 위한 노력을 하기엔 이젠 너무 지치기 때문이었다.

"근데 자기야."

"응?"

"자기는 처음에 나보고 무슨 생각했어?"

갑작스러운 질문에 수혁은 고개를 갸우뚱하며 태선을 바라보다가 이내 말을 이어갔다. 태선은 고개를 들며 분명 자신을 매력 없는 여자라고 생각했을 것 같다는 마음을 품은 채, 수혁을 바라보았다.

"글쎄, 되게 멋있다고 생각했어. 자기가 처음 모임에서 자신의 글에 대해서 소개할 때, 당당하게 자기가 하고 싶은걸 이야기할 때 처음으로 자기한테 끌렸던 것 같아."

수혁의 대답에 태선은 머리를 한대 맞은 듯 멍해짐을 느꼈다. 수혁은 사실 AI로 만들어진 자신의 모습이 아닌 진짜 '윤태선' 을 사랑하고 있었다. 정작 진짜 태선을 사랑하지 않았던 것은 자기 자신이었던 것이다. 충격적인 사실을 머릿속에서 깨닫자마자 태선의 눈에는 눈물이 차올라 멈출 수 없었다. 수혁은 그 모습을 보고 당황하여 계속해서 태선에게 왜 그러냐고 물어봤다. 태선은 도무지 수혁의 눈을 바라볼 수 없었다. 사실 나는 내 모습을 좋아하지 않았다고, 그랬기에 너에게 네가 좋아할 것 같은 모습으로 다가갔었다고 말할 수 없었다. 그리고 그 말을 할 용기조차도 없는 자신에게 너무 화가 나서 수혁의 눈을 피해 화장실로 도망쳤다.

문을 잠그고, 화장실 구석의자에 앉아 계속해서 울었다. 우는 동안 태선의 머릿속에는 수많은 과거와 생각들이 주마등처럼 스쳐갔다. 공부도 별로 못했고, 성격도 별로고 외모도 별로라고 생각했기에 항상 누군가에게 다가갈 수 없었던 자신. 그랬기에 그녀는 계속해서 본인의 모습을 부인해왔다. 내가 제일 친한 친구에게 손절 당한 것도, 어머니한테 욕을 먹었던 것도, 다 자신이 부족해서라고 생각했다. 내가 AI를 이용해서 예뻐진 모습으로, 좋은 말주변으로 다가간다면 수혁도, 사회도 다 좋아 해 줄 것이라고 생각했다. 그랬기에 노력했다. 그가 좋아할 것 같은 모습으로 바꿨고, 이 노력을 안 하면 그가 자신을 사랑하지 않을 것이라 생각했다. 그러나 중요한 것은 '남' 이 아니었다. 자신이 자신을 더 사랑하고 아껴주어야 남에 대한 사랑을 더 잘 깨달을 수 있는 것이었다. 남의 시선을 보는 것이 아닌 자신을 그대로 마주하고 나아갈 용기. 태선은 그 용기가 없었다는 생각에 하염없이 후회스러워졌다.

한참을 울었을까. 화장실 문 너머로 거칠게 문을 두들기는 소리가 들렸다.
"야, 윤태선. 문 열어봐"
평소와는 다른 단호한 목소리로 수혁이 태선을 부르고 있었다. 거친 문소리와 처음 듣는 수혁에 목소리에 놀란 태선은 울음을 그치고 조심스레 문을 열었다. 반쯤 열린 문을 확 잡아 끌었다. 태선이 의자에 앉은 채 천천히 고개를 들어 수혁으로 시선을 옮기니 수혁의 팔에는 본인의 폰이 들려져 있었다. 그리고 그 폰에는 able AI와 수혁의 정보를 주고받은 문자기록이 기재되어 있었다.

"이게 뭐냐고?"

수혁은 방금 전과는 다르게 한껏 언성이 높아진 목소리로 태선에게 추궁했다.

태선은 아무 말도 할 수 없었다. 그저 그쳤던 눈물을 다시 흘리며 수혁을 바라봤다.

"난 너를 대할 때 진심이었는데.. 넌 날 그저 가짜로 대했구나."

수혁은 배신감에 가득 찼다는 듯한 울컥한 표정과 덜덜 떨리는 목소리로 태선에게 말한 후, 분노에 가득 찬 듯 그녀의 핸드폰을 바닥에 놓은 채 현관문을 향해 뚜벅뚜벅 걸어갔다. 태선은 그제야 진짜 이 관계가 끝날 수 있겠다는 생각에 그를 붙잡으려 뒤쫓아 갔다.

"저기.. 수혁아 그게 아니라.. 내가 다 설명할게."

태선의 애처로운 외침에도 불구하고 수혁은 등을 돌려 다급하게 신발을 신었다.

"수혁아 그게 사실은"

말을 이어가려고 했지만, 태선이 마주한 수혁의 모습은 너무나도 단호했다.

그 모습에 차마 태선은 수혁을 붙잡을 수 없었다. 그의 모습이 단호해서도 있었지만, 용기 있지 못한 자신 때문에 그에게 배신감이라는 상처를 준 것이 너무 미안해서였다. '쾅' 하는 소리와 함께 현관문이 닫히고 수혁이 나갔다. 태선은 영원히 닫힌듯한 문을 멍하니 바라보며 더 이상 수혁을 볼 수 없을 것 같은 생각에 눈물을 흘렸다.

---

그렇게 수혁이 태선에게서 떠나간 지 1년이라는 시간이 흘렀다. 여전히 태선은 수혁을 가끔씩 그리워하고, 그를 보고 싶어 해서 연락을 할까 생각을 했지만 이미 연락처며 모든 것이 차단당한 상태였기에 그럴 수 없었다.

태선 역시 자신을 차단한 수혁의 마음을 이해했기에, 더 이상 연락하지 않았다. 그리고 able AI를 쓰지도 않았다.

대신 태선에게도 아예 안 좋은 일만 있던 것이 아니었다. 이제 남의 시선이 아닌 자신을 더 사랑해주기로 마음먹은 태선은 열심히 자기관리에 들어갔다.

물론, 남의 시선 때문이 아니라 태선 스스로 당당해지고 싶어서였다. 글도 더 열심히 쓰고, 공부와 다이어트도 생에 처음으로 해보았다.

본인이 설정한 목표를 하나하나 이루게 되자 그녀는 자존감도 올라갔고, 상대에게 집착하지 않는 마음의 여유도 생겼다. 그 덕에 수혁이 아닌 다른 사람과 연애도 몇 번 하게 되었다. 물론 며칠 못 사귀고 헤어졌지만, 더 이상 그녀는 헤어짐에 있어서 자책하지 않았다.

또한, 열심히 산 덕택에 나름 이름 있는 소설기업에 작가로 취직이 되었고, 일주일 후면 그녀가 만든 웹소설은 16부작의 드라마로 제작된다.

그리고 오늘 그녀는 제작미팅을 위해서 방송국으로 발걸음을 옮기려 하고 있지만 안타깝게도 교통체증이 그녀의 발목을 잡았다.

"야, 너 어디야? 왜 이렇게 안 와? 피디님 지금 기다리고 계시는데."

다급한 목소리로 편집장이 그녀를 보챘다.

"죄송해요 저 지금 바로 가보려고 하는데.." 편집장의 목소리에 그녀는 재빨리 휴대폰 네비게이션으로 몇 분이 남았는지 확인했다. 다행히 그래도 꽤 와서인지 5분 남짓 거리에 있었다.

"저 5분이라고 뜨거든요 얼른 갈게요!"

전화를 끊은 후, 고개 들어 보이는 방송국을 향해 핸들을 돌렸다.

처음 도착한 방송국은 말 그대로 대단했다. 건물이 전부 통유리로 되어 있었고, 직원들을 위한 좋은 시설들이 즐비해있었다. 떡 벌어지는 방송국 크기에 압도당한 채, 태선은 미팅장소로 걸어갔다.

엘리베이터가 미팅장소에 도착하자 저 멀리 편집장이 그녀를 향해 빨리 오라고 손짓하고 있었다. 편집장의 손짓에 태선이 종종걸음으로 발을 옮겨 마침내 소파에 멈춰 섰다. 많이는 아니지만 그래도 늦었기에 태선은 먼저 두 손 모아 허리를 굽혀 사과의 뜻을 전했다.

"죄송합니다." 정중히 말하고 천천히 고개를 올리는 순간 익숙한 실루엣이 점점 그녀의 시야를 차지했다.

그리고 마침내 그녀의 시선 끝에는 수혁의 얼굴과 'PD 차수혁'이라는 명함만이 비춰졌다. 멍한 얼굴로 한마디도 하지 못하고 그녀는 계속해서 그를 쳐다보았다. 수혁을 소개하는 편집장의 목소리조차 그녀에겐 들리지 않았다.

편집장에게 중요한 전화가 와서 그녀가 잠시 미팅 장소를 나가기 전까지는 태선은 이것이 꿈인지 생시인지 구별이 가지 않았다.


"잘 지냈어?"

이것이 꿈이 아니라는 듯, 수혁이 먼저 태선에게 말을 건넸다. 수혁의 생생한 목소리를 듣는 순간, 태선은 이 상황이 꿈이 아니라는 판단이 들었다.

"응."

태선은 어색하고 얼떨떨한 감정에 말하고 고개를 끄덕이며 그를 바라보았다.

조심스레 끄덕이는 그녀의 얼굴엔 미안함, 그리움, 벅참, 모든 감정이 묻어져 있었다. 그녀를 보는 수혁역시 마찬가지였다. 그녀를 차단했고, 그녀가 거짓말을 한 순간 차갑게 식었던 건 맞지만 그간의 시간이 지나는 동안 그녀를 많이 그리워하고 생각했음이 얼굴에 드러났다.

그런 수혁의 모습을 보자, 태선은 그동안 계속 하고 싶었던 말을 할 용기가 생겼다.

"저기 수혁아."

태선의 한마디에 수혁은 그녀의 눈을 응시했다.

"그 동안 나는 널 사랑하지만, 용기가 없었어. 그래서 널 파악하려 애를 썼고, 날 바꾸면서 널 사랑하려 했어. 하지만 이젠 알아, 그게 옳지 못한 것이라는 걸. 그 동안 너한테 너무 미안하고, 널 계속 생각했어. 이젠 진짜 "나" 로 너한테 다가가 보고 싶어."

태선은 또렷하지만 살짝 떨리는듯한 목소리로 대화를 이어갔다.

"네가 너 모습 그대로 날 사랑해준 만큼, 나도 내 모습 그대로 널 사랑해줄 기회를 줄래?"

비록 이전보다 조금 더 자존감 강해진 태선이라 해도, 떨리긴 마찬가지였다. 그래도 후회 없이 하고 싶었던 말을 해서 어느 정도 후련한 듯한 모습이었다.

"그래"

옅은 미소를 지으며 수혁이 태선의 고백을 받아들이자, 긴장했던 마침내 빙긋 웃었다. 두 사람의 기분 좋은 미소 뒤로 새로운 시작을 보여주는 것 같은 노을이 지고 있었다.

# 안 괜찮아도, 괜찮아

최현영

**최현영**  세상에 무엇이든 노력하면 된다고 생각하며 살았는데, 내가 혼자한 최고
의 노력이 벽에 부딪히고 거부당하는 경험을 하면서 뒤집어진 세상에서
지내는 중입니다. 더디자라는 아이들과 색다른 세상에서 행복하게 살고
있습니다.

"여보세요. 네, 안녕하세요. 선생님…네..네..네.. 죄송합니다"

　나는 준수 담임 선생님의 전화를 받고 머리가 하얗게 되었다. 준수에게 바라는 건 다른 애들처럼 학교 다니고 학원 다니는 건데 준수는 가는 곳마다 전화 받을 일을 만든다. 나도 중학교 교사이기에 선생님께서 부모에게 3월에 전화를 건다는 것이 어떤 의미인지 잘 알고 있었다. 학기 초에 선생님이 전화를 할 만큼 아이가 평범하지 않다는 것이다. 교사는 학교에서 관리 해 줄 수 있는 영역을 벗어 난다 싶으면 부모 상담을 할 수 밖에 없다. 그 동안 학업 성취도가 낮아서 관리가 필요하거나 문제 행동을 하는 비행 청소년 부모에게 걸던 전화를 내가 받고 있었다. 내가 부모들에게 교사로써 했던 말을 다른 교사에게서 똑같이 들으니 마음이 더 복잡했다. 준수의 담임 선생님들의 전화를 받을 때 마다 내가 부모들에게 했던 말들이 그들의 마음에 얼마나 큰 짐이었을 지를 생각하게 되자 조금씩 마음이 무거워졌다. 요즘은 내 마음이 너무 무거워서 그만 놓고 싶다는 생각만 자꾸 들었다.

준수 담임 선생님과의 통화가 오늘이 처음은 아니었다. 준수가 5학년이 된지 이제 3주차인데 저번 주 금요일에도 담임 선생님께서 준수의 지각 때문에 전화를 주셔서 받았다. 그래서 이번 주 내내 준수에게 지각은 안 된다고 이야기를 하고 있었다. 하지만 아무리 준수에게 지각은 안 된다고 이야기를 하고 중학교 2학년인 된 큰아이, 시혁이에게 동생 좀 깨워 놓고 가라고 해도 준수는 아침마다 일어나지 못해서 밥도 굶은 채 학교를 가는데도 계속 지각이었다.

시혁이는 엄마를 위해서 마지 못해 준수를 깨우지만 일어나지 않는 준수에 대한 분노가 있었다. 나에게는 다정한 얼굴로 인상 한번 쓰지 않는 시혁이가 준수에게는 하는 말마다 가시가 돋쳐있었다. 시혁이는 아침마다 일어나지 못하고 지각을 하는 동생을 한심하다고 말했다. 그런 형을 보면서 준수는 형이 악마가 틀림 없으니, 형을 없애달라고 나에게 울먹이며 졸랐다. 준수와 시혁이가 함께 있으면 점점 공격적이거나 싸늘해졌다. 점점 나도 시혁이에게 준수를 부탁하는 건 불편한 일이 되었다. 시혁이는 동생을 깨워보겠다고 얼굴에 물을 뿌리고, 창문도 열고, 알람 시계를 여러 개 틀어 놓고 했다. 그래도 안 일어나는 건지 못 일어나는 건지 준수는 형이 먼저 등교를 하고 나면 더 자다가 지각을 했다. 나는 시혁이에게 미안한 마음이었다. 아침에 스스로 일어나지는 못 할 망정 깨워줘도 못 일어나서 계속 자는 준수가 솔직히 한심했다.

준수의 지각 문제는 남편에게도 여러 차례이야기를 했다. 하지만 남편은 아직은 초등학생이니 중,고등학생이 되면 달라 질 거라고 생각했다. 초등 학교 때 지각한 것은 생기부에 남는 것도 아니고 앞으로의 학교 생활에 큰 지장을 주지 않으니 아이를 너무 잡지 말라고 했다. 지각 문제를 학교 생활에서 분리해서 생각하는 남편을 이해하기 어려웠다. 그렇다고 준수의 지각 문제 때문에 내가 학교를 그만 둘 수 있는 상황도 아니었다. 나는 자아실현을 위해서 직장 생활을 하는 게 아니었다.

남편은 지금까지 아들 둘을 키우는데 시부모님이나 친정부모님의 도움 없이 일하는 나와 육아를 함께한 고마운 동반자였다. 아이들 문제에 있어서 느끼는 어려움을 가감 없이 들어주는 내편이었다. 아무리 여러 번 도움을 청해도 보통 남편들이라면 싫은 티를 냈을 만한 일들도 남편은 나에게 안 된다는 말 없이 회사에서 집으로 달려와 주곤 했다. 당연히 남편이 회사에서 싫은 소리를 듣고 오는 날도 많았다. 어떻게든 나도 내 힘으로 두 아이를 책임지고 싶었지만, 그런 결심을 자주 무너졌다. 아이들은 자주 독감에 걸리거나 장염에 걸렸다. 집안일을 하는 동안 잠깐 눈을 돌리면 어딘가에 부딪혀 찢어지거나, 문틈에 손을 넣은 채 닫았다. 익숙해 지지 않는 사고들이 계속 되었다.

시혁이가 연 문틈으로 발이 끼어 들어가면서 준수의 엄지 발톱이 빠지는 사고가 있던 날, 아이 둘을 데리고 소아과로 가는 길에 남편의 부장님이 반차 결제를 받으러 간 남편에게 좋은 아빠 일지는 모르겠지만 좋은 사원은 아니라고 생각 한다며 애들이 아플 때마다 반차를 쓰는 걸 왜 당연하게 여기냐고 하셨다며 많이 속상해 했다. 아이들 둘을 우리 둘이 키우면서 우리는 주위에 폐를 끼치는 사람 취급을 받았다. 아이들을 키우면서 회사에 피해가 없으려면 부모님이 도와주어야 하는 것이 당연한 시대였다. 부모님의 자리를 남편이 많이 채워주려고 하다 보니 남편도 회사에서의 눈총을 피할 수는 없었다. 남편이 항상 육아를 함께 했기에 남편도 시혁이와 준수의 성장 과정을 많이 알고 있었다. 하지만 최근 준수가 학교와 학원에서 받아 오는 피드백은 우리 부부를 당황스럽게 했다.

그도 그럴 것이 우리의 자랑인 큰 아들, 시혁이를 키우는 동안 준수와 같은 주제로 전화를 받아 본적이 없었다. 시혁이가 유치원을 다닐 때 준수는 갓난 아기였다. 남자 아이 둘을 한꺼번에 돌보기는 정말 어려웠다. 그래서 시혁이는 온갖 방과후 활동을 다 추가해서 내가 데리러 올 때 까지 유치원에 더 있어야 했는데, 가르치는 선생님들마다 아이가 잘 한다고 칭찬 해 주셨다. 항상 잘 한다는 전화를 받아서 나는 정말 행복한 시간을 아들 덕에 보내고 있었다. 외진 동네라도 행복한 우리 집이 있다는 것에 감사하며 살았다. 학부형이 되면서 큰 아이에 대한 칭찬만큼 주변의 기대도, 우리의 소망도 함께 자랐다. 시혁이에게 더 좋은 교육 환경을 만들어 줘야 한다는 생각에 나와 남편의 마음도 함께 바빠졌다. 우리는 무리해서 학군이 좋은 동네로 이사를 했고, 시혁이는 초등학교 2학년때 담임 선생님께서 과학 영재를 추천 해 주셔서 3학년부터 영재원을 다니기 시작했다. 시혁이 영재원 친구들 중에는 영어 유치원 출신이 많았고 그 엄마들은 그들만의 모임이 있었다. 시혁이 친구 부모들은 아이들 위주로 생활이 돌아갔다. 그런 친구들을 보다 보니 시혁이도 중학생이 되면서 자신도 친구들 같은 대우를 받기를 원한다고 이야기 했지만 우리는 그들과 같은 상황이 아니었다.

일주일이 지난 후 나는 다시 준수 담임선생님의 전화를 받았다. 전화 건너 들려오는 선생님의 말투는 매우 조심스러웠다.

"어머니, 준수가 수업 시간에도 너무 조용하구요. 수업 참여도도 떨어지고, 저번 진단 평가에서도 평균 이하의 점수를 받았어요. 지각도 다른 이유가 없는데 너무 잦아요. 그리고 다른 것 보다 준수가 좀 우울해 보이네요. 어머니, 저도 여러 번 생각해 보고 말씀 드리는 거에요. 준수, 심리 상담 센터에 가져서 검사 한 번 받아 보시는 것이 어떨까요?"

아이가 조용하니 검사를 받아보라는 선생님의 말에 나도 모르게 준수를 감싸는 변명들을 계속 했다. 준수는 밖에서 조용하고 순한 아이고, 나서는 것을 싫어해서 학교에서는 조용하지만, 집에서는 활발하고 이야기 잘 하는 아이라고. 수업 참여도가 적은 것도 수줍음이 많아서 사람들 앞에서 이야기하는 것을 꺼려하는 성향이다 보니 그런 것 같다고. 아침 잠이 많은데 사실 나도 많은 편이라서 준수를 이해 하고, 지각하게 두지 않으려고 가정에서도 노력하고 있다고. 준수가 원래 자신이 관심이 있는 것은 잘 하는데, 싫어하는 건 안 하려고 하는 경향이라서 다양한 학교 과목을 다 다루지 못하는 것 같다고. 선생님께 하나 하나 변명 같은 설명을 늘어 놓았다. 선생님도 더 이상 상담 이야기 하지 않고 전화를 끊었다. 전화를 끊은 후에도 선생님의 목소리가 또렷하게 다시 들리는 것 같았다. "검사 한 번 받아 보시는 것이 어떨까요?" 선생님의 차분하고 감정을 절제한 목소리가 머리 속을 채웠다.

개운치 않은 선생님과의 통화 후 바로 남편에게 전화를 걸었다. 준수 담임 선생님께서 아이를 데리고 심리 상담 센터에 가서 상담을 받아 보라고 연락을 주셨다고 전했다. 그는 예상하지 못한 이야기를 들어 당황한 기색이 역력했다. 준수를 심리 상담이나 정신과 같은 단어와 함께 생각 해 본 적이 없었을 테니 당연한 반응이었다. 내가 고민하지 않고 바로 그에게 전화를 걸었던 이유는 아마도 준수가 그럴 리 없다고. 선생님께서 잘 못 생각 하신 게 분명하다는 확신의 말을 그가 해 주기를 바랬던 것 같다. 내 마음을 말하지 못 한 채 통화를 하던 중 그는 나에게 선생님의 판단을 어떻게 생각하는지 묻는데, 아까 선생님 앞에서는 준수를 감싸고 돌았던 내가 선뜻 선생님이 준수를 잘 못 판단 하신 거라고 이야기 하지 못 했다. 준수에게 상담이 필요하지 않고 말하지 못했다. 준수가 다른 일반적인 아이들과 전혀 다르지 않다고 말하지 못 했다.

나도 아이들을 가르치면서 잘 알고 있었다. 학교 생활 중에 다른 아이들에게 피해를 주고, 계속 교칙을 어기는 아이들은 겉으로 문제가 드러나서 학폭위원회에 회부가 되든, 진단을 받든, 센터를 다니는 등의 조치가 취해 지지만 겉으로 문제가 드러나지 않는 준수처럼 조용하지만 또래 집단에 들어가지 못하는 아이들이 있다. 누구보다 또래 집단에 들어가지 못하는 아이의 학교 생활의 어려움과 외로움, 부당함을 지켜보는 내가 준수가 그런 일을 학교에서 당하고 있을지도 모른다는 생각이 들면 불안한 마음에 일이 손에 잡히지 않았다. 불안한 마음이 들 때마다 시혁이가 잘 해 왔듯이 준수도 잘 해 낼 꺼 라고 나 스스로를 설득했다. 남편은 준수가 학교에 잘 적응을 못하는 것 같으니, 우리가 조금 더 챙겨 보는걸 우선 해보자고 이야기를 하고 전화를 끊었다.

남편과의 전화를 끊고 내가 키우면서 보아온 준수에 대해서 찬찬히 되짚어 보았다. 혹시 내가 잘 못 생각하고 있는 부분이 있지는 않았는지. 어렸을 때부터 준수는 책을 좋아하는 형 덕분에 책을 늘 가까이 했다. 특히 과학책을 좋아했다. 시혁이는 책을 통해서 자신이 알게 된 지식들을 이야기하던지, 글을 쓰던지, 그림을 그려서 소통을 한다는 생각이 들었는데, 준수는 그냥 조용히 혼자 읽고, 전집이나 시리즈를 찾아서 다 읽고, 그 중 특별한 몇 권은 외워질 만큼 읽는 것을 좋아했다. 독서는 아이들 마다 자신만의 성향이 있다고 생각했다. 책을 좋아하고 몰입해서 읽는 것을 본 나는 준수가 상담이 필요한 아이라고 생각하지 않았다.

TV에서 방영 되는 금쪽같은 내새끼나 내 아이가 달라졌어요 같은 프로에서 나오는 자폐나 ADHD아이들을 보면서 나는 더 확신을 가졌다. 우리 준수는 절대 TV에서 본 것처럼 그렇게 엄마에게 심하게 반항을 하거나, 주변 어른들이나, 선생님들에게 예의없이 행동하거나, 학교를 안 가거나, 친구들을 때리고 욕을 하거나 하는 등의 행동은 전혀 아무것도 하지 않았다. 말수가 적을 뿐이지 말이 어눌 하거나 못하거나 하지도 않았다. 나는 육아 서적도 많이 찾아 보았다. 대부분의 책에서 남자아이들은 공감 능력이 늦게 발달한다. 집중을 못한다는 이야기를 많이 듣는다. 같은 문구를 보면서 준수도 시간이 지나면 좋아 질 거라고 생각했다. 그러면서도 나는 남자 아이에 대한 육아 서적이나 남아 미술 같은 카테고리를 계속 찾아 보았다.

선생님의 전화를 받은 날 저녁, 우리는 준수를 거실로 불렀다. 방에만 틀어 박혀서 나오지 않는 아이를 억지로 불러내 거실 소파에 앉혔다. 학교 생활에 어려움은 없는지에 대해서 조심스럽게 묻는 나에게 준수는 시큰둥한 표정으로 아니라고 대답했다. 오늘 선생님께서 네가 학교 생활을 하는데 어려움이 많이 보이신다고 연락을 주셨다는 이야기를 최대한 감정을 섞지 않으려고 노력하며 말했다. 준수는 아무 일도 아닌 것을 가지고 심각하게 이야기 한다는 투로 아침마다 선생님이 풀라고 일방적으로 주는 수학 프린트가 있는데 찾아도 없어서 매번 풀지 못한다는 이야기가 돌아 왔다. 그리고 그거 말고는 다 잘 하고 있다고 했다. 엄마가 부탁하고 형이 깨워주는데 왜 계속 지각을 하는지도 물었다. 아침에는 형이 깨워줘도 못 일어나는 건 본인이 어떻게 할 수 없다고 했다. 그렇게 짧게 미안한 기색 하나 없는 말투로 말을 하곤 준수가 자리에서 일어나려고 했다. 작년부터 우리가 준수와 이야기를 하려고 하면 할수록 준수의 태도는 점점 더 짜증스럽게 변해 왔었다.

아무 말없이 나와 아이의 대화를 듣기만 하던 남편이 일어나는 준수를 보며 자리에 앉으라고 소리를 질렀다. 항상 나보다 더 아이 편을 들어주던 남편이 이번엔 언성을 높이자 준수가 다시 자리에 앉았지만 기분 나쁜 표정을 감추지 않았다. 언성을 높여 말하기는 했지만 남편은 준수의 입장을 자세히 듣기를 바랬다. 선생님의 전화에 부모로써 할 말이 있을 수 있게 납득 가능한 변명을 듣고 싶어했다. 하지만 준수가 하는 말에서 납득 가능한 부분은 없었다. 프린트가 없어졌다, 내가 어뛯게 할 수 없다 같은 소리를 하면서 논리적이라고 착각하는 것 같은 아이를 보면서 내 자식이 저렇게까지 어리석을 수 있다는 사실에 화가 났다. 그런 말들에 불만을 실어서 뱉는 모습은 한심하게 느껴졌다. 우리는 계속 큰 한숨을 내 쉬었다. 큰 아이의 사춘기는 친구들처럼 자신을 위주로 돌아가지 않는 것들에 대한 것이었다. 그렇게 해 줄 수 없는 상황에 대해서 남편과 내가 설명을 하고 이해를 구하면 시혁이가 마지 못해 수긍해 주면서 끝이 났다. 그 와중에 시혁이는 준수처럼 불량한 태도를 보인 적이 없었기 때문에 우리는 준수를 어떻게 받아들여야 좋을지는 모르겠고 아이가 괘씸해 보였다. 본인이 무슨 노력을 했다고 저렇게 버릇없이 나오는 건지 이해가 되지 않았다. 왜 준수는 시혁이랑 이렇게 다를까? 아이에게 서운한 마음이 드는 것은 우리가 부모 자격이 없는 걸까? 답이 없는 질문들이 머릿속을 가득 채우자 가슴이 답답해졌다.

남편은 프린트물을 찾지 못하는 것도 너의 잘 못이라고 이야기 하기 시작하자 준수는 소파에 앉은 채 고개를 숙이고 눈을 마주치지 않았다. 그러자 남편은 고개를 들고 얼굴을 보면서 대화를 하자고 말했다. 아이가 아무 말도 하지 않지만 팽팽한 긴장감이 거실을 가득 채웠다. 준수는 대답도 하지 않고 고개를 들지도 않은 채 가만히 있었다. 남편은 준수가 계속 불러도 대답을 하지 않자, 결국 준수의 이름을 소리쳐 부르며 폭발했다. 아빠가 호통을 치니 준수가 얼굴을 들고 아빠를 쳐다봤다. 소리를 지르며 화를 내는 남편을 보고 전 같으면 준수가 누그러지고 울면서 잘 못했다고 마무리 되었을 텐데, 오늘의 준수는 달랐다. 아이는 분노가 어른 거리는 눈빛으로 남편을 노려보며 말했다.

"그럼 나더러 어쩌라 구요? 나한테 얼마나 관심이 있었다고……"

준수의 마지막 말에, 나도 서운하고 화가 나기 시작했다. 나더러 어쩌라 구요? 관심이 있었냐구요? 지를 학교 보내 놓고 받아 온 전화에서 아이가 왜 이러는지 모르겠다는 투로 질타하듯이 내뱉는 말들을 우리가 누구 때문에 견뎌 왔는지 알지도 못하는 녀석이 할 말은 아니었다. 준수가 하는 수위를 넘는 말과 큰아이에게서 본 적 없는 비난하는 말투, 반항적인 태도에 선생님들이 준수에 대해 했던 말들, 아이를 바라보는 한심한 시선들에서 우리가 느꼈던 부끄러움들이 되살아났다. 우리를 노려보던 준수의 뺨을 남편이 올려 부쳤다. 뺨을 맞자 준수의 분노에 찬 눈빛이 갑자기 벌어진 상황에 당황한 빛으로 바뀌었다. 한 번도 맞아 본적 없는 아이가 갑자기 뺨을 맞으니 많이 놀란 모양이었다. 맞아서 아픈 것 보다 아빠의 돌변한 모습에 당황한 것 같았다. 준수는 남편 뒤에 서 있는 나와 눈이 마주치자 자신을 도와달라는 시선을 보냈다. 잘 못 된 훈육일지라도 아빠가 훈육을 하고 있는 중간에 아이 편을 들 수는 없어서 내가 준수의 눈을 피했다.

그때 시혁이가 학원에서 돌아와 중문을 열고 들어섰는데, 거실에서 벌어지고 있는 준수와 아빠의 대치 상태를 보고는 아무 말없이 자기 방으로 들어갔다. 시혁이가 방으로 들어가자 남편이 준수에게 자신이 무엇을 잘 못 했는지 생각해 보고 이야기하라고 했다. 그러자 준수는 뺨을 모아 쥐고 소리 없이 울면서 자기 방으로 들어갔다. 아이가 방으로 들어 간 후 나는 소파에 가만히 앉았다. 갑작스럽게 벌어진 일들에 대해서 생각을 정리 하고 싶었다. 남편은 안방으로 문을 쾅 닫고 들어 가버렸다. 준수 방에서 흐느끼는 소리가 작게 들리다가 조금 지나자 아무 소리도 나지 않아 살짝 문을 열어 보니 그대로 엎어져 잠이 들어 있었다. 아직 초등학생이면 너무 어린데 우리가 준수에게 너무 한 건 아닌지 걱정이 되었다. 제대로 된 대화는 시도도 못 해보고 허무하게 끝나버렸다.

준수가 잠이 들어 조용해 지자 시혁이가 거실로 나왔다. 아직 저녁을 못 먹었다고 배가 고프다고 했다. 미안한 마음에 부엌으로 가서 냉장고를 열었지만 당장 먹을 수 있는 것이 없었다. 시혁이에게 아빠한테 네가 먹고 싶은 걸 이야기해 보라고 했더니 아이가 안방 문을 열고 들어 갔다. 잠시 후 안방에서 표정이 부드러워진 남편과 함께 시혁이가 나오면서 피자를 시켜서 먹자고 했다. 밤 10시가 넘어 갔지만 피자를 시키고 시혁이가 다 씻고 잠옷으로 갈아 입고 방에서 나오니 피자가 도착했다. 남편과 나는 김치 냉장고에서 꺼낸 맥주 캔을 하나씩 잔에 따르고 시혁이는 콜라는 따라서 마시면서 피자를 먹었다. 속상했던 마음에 위로 같은 시간이었다.

오늘 있었던 소란에 대해서 대략적으로 이야기를 하자 시혁이는 어이없다는 표정으로 준수가 전혀 이해가 안된다고 했다. 본인이 잘 못한 것을 인정하지 않는 준수의 모습이 한심하다고 했다. 그리고 자신이 아침마다 깨워 줘도 일어나지 못해서 지각을 한다는 부분에 대해서는 억울한 마음도 드는지 고개를 절레절레 흔들었다. 시혁이가 피자를 다 먹고 자기 방으로 자러 들어 간 후 나는 남편에게 준수 뺨을 때린 것은 잘 못이라고 생각한다고 말했다. 남편도 그때는 자신이 준수에게 실망한 마음이 컸고 준수에게서 시혁이때는 보지 못한 태도가 있어서 한 번 혼내 준다는 것이 뺨을 때리게 된 것 같다고 했다. 나는 내일은 남편이 준수에게 사과해줬으면 좋겠다고 했다. 남편도 시간을 마련해서 준수와 맛있는 것을 먹으면서 이야기를 나눌 생각이었다고 했다.

다음날 저녁 시혁이는 학원에 갔다가 오기로 하고 우선 우리 셋이 먼저 고깃집으로 갔다. 준수가 제일 좋아하는 집으로 골랐다. 오늘도 지각을 했다는 준수를 데리고 고기를 먹으며 이야기를 했다. 우선은 남편이 어제 뺨을 때린 것은 아빠의 잘 못이라고 생각을 한다고 미안하다고 하니 준수는 괜찮다고 하면서 자신이 엄마, 아빠에게 버릇없이 굴었던 것 같다고 생각한다고 말했다. 이럴 때는 우리가 알던 준수 같았다. 조용하고 순한 아기 때의 모습으로 돌아 온 것 같았다. 우선 아빠와의 화해는 잘 된 것 같다는 생각이 들어서 학교에서는 오늘은 어땠는지 물었다. 준수와 이야기를 하려고 하는데 학원을 마치고 시혁이가 왔다. 남편은 시혁이가 먹을 고기를 더 주문해 주고 나는 준수에게 다시 말을 붙였다. 오늘도 지각을 해서 선생님께서 청소를 시키셨고 청소를 하느라 영어 학원도 늦었다고 했다. 준수는 선생님이 자신을 싫어 하는 것 같다고 했다. 이야기를 듣던 시혁이가 준수에게 네가 지각을 하면서 선생님이 너를 싫어한다고 생각하는 것이 옳으냐며 면박을 주고 머리를 쥐어박았다. 그러자 준수는 세게 맞지도 않은 머리를 감싸 쥐고 형이 뭔데 사람을 치냐며 대들었다. 순식간에 저녁 식사 분위기는 엉망이 되었다. 준수는 형이 자신에게 폭력을 행사했다는 식으로 과장을 해서 점점 더 스스로 화를 돋우는 것 같았다. 준수와 시혁이를 말리다가 우리는 제대로 먹지도 못하고 집으로 돌아 왔다. 집으로 돌아 오는 길에 남편도 화가 났고 나도 아무 말도 하고 싶지 않았다. 우리 넷 다 떨어져서 각자 집을 향해 걸었다.

매일 서로에 대한 불만이 쌓여만 가는 채 5월 되었고 준수 담임 선생님이 다시 전화를 주셨다. 4학년 때부터 같은 반이었던 아이 둘이 준수를 괴롭히는 것 같은 정황들이 있는데 선생님께서 직접 보신 것도 아니고 준수에게 물어 보면 아니라고 하고 준수가 괴롭힘을 당한다는 것을 본 아이들도 없다고 하셨다. 준수와 요즘 대화를 한다기 보다는 왜 또 지각을 한 거냐 같은 비난이나 이러면 너 인생 망가진다는 같은 협박성 말들만 하고 있었다. 그러니 준수가 친구 이야기를 나에게 해 줄 기회는 없었다. 가만 생각 해보니 아이가 자주 밴드를 써서 집에 밴드가 떨어졌었다. 그저 밴드를 사야겠다고 만 생각했지 준수가 어디를 다쳤는지, 왜 다쳤는지는 제대로 물어 보지 못 했던 것 같다.

선생님과 통화 후 요즘의 준수에 대해서 제대로 알지 못하고 있는 것 같다는 생각이 들어서 미안했다. 준수에게 미안하기는 했지만, 친구들과 사이에서 벌어진 상황들을 준수에게 물어 본다고 해결이 나지는 않을 것 같았다. 조리 있게 설명해 줄 수 없을 것 같았기 때문에, 준수에게 물어 봐도 소용이 없을 것 같았지만, 선생님께서 전화까지 해 주셨으니 아이에게 확인은 해 봐야겠다는 생각이 들었다. 지금까지 준수가 학교 다니면서 공부 보다 어려웠던 것이 아이들 사이에서의 관계였다. 준수는 저학년때도 친하게 지내는 친구가 없었다. 항상 친구가 갖고 싶다고 하는데 어떻게 해야 할지 모르겠다고 했다. 사람에게 잘 다가가지 않고 소심하다 보니 반 아이들과 친해지기 어려웠다. 친구를 사귀는 방법에 대해서 여러 번 이야기 해 주었지만, 소용이 없었다. 직장맘인 내가 아이들이 모아서 놀게 해 주지 못하니 준수는 내가 도와주지 않아서 자신이 친구가 없다고 생각했다.

학기 초에 준수와 싸운 후에도 우리는 자주 언성을 높이며 준수에게 혼 내듯 이야기 했지만 준수는 달라지지 않았다. 남편과 나는 정말 조금도 달라지지 않는 아이를 보면서 답답했다. 그래도 우리는 준수의 지금 상황에 대해서 서로를 탓하며 싸우지는 않았다. 하지만 준수에 대한 해결 되지 않은 마음과 가지 않은 상담에 대한 고민은 마무리 되지 않은 채 그대로 있었다. 남편과 나는 그 옵션을 아직 풀어보지 않으리라는 마음으로 매일을 지내는 기분이었다. 이렇게 하루 하루를 보내면 괜찮아 질지도, 시간이 해결을 해 줄지도 모른다는 마음에 매달렸다.

그날 저녁에 나는 준수의 영어 학원 앞에서 준수를 기다렸다. 초등학교 저학년때 준수는 대형 영어 어학원을 다녔는데 적응을 못 했다. 어학원에서 진행 하는 표준 수업을 준수는 따라가지 못했다. 아무리 단어를 외워도 다음 상위 레벨로 가기 위한 수준별 평가를 보면 점수가 나오지 않았다. 나는 준수가 대형 학원이 맞지 않는다고 판단했기에 걸어 다닐 수 있는 집에서 거리가 가까운 학원들을 찾아가서 상담했다. 그렇게 3달을 고민 하며 레벨테스트를 하러 다니다가 아이들 한

명 한 명의 개성을 중요시 해 주는 원장님을 만나게 되었다. 원장님이 준수가 어휘 암기, 단기 기억이 잘 안되는 상황도 이해해 주시면서 언어로 남는 영어 교육에 대한 방향성을 이야기 하신 유일한 선생님이셨다. 5학년이 되면서 준수가 학원에 자주 늦으면 거기에 맞춰서 수업을 더 해주셨다. 그렇게 준수의 속도에 맞추어서 수업을 진행해 주셨다. 그럼에도 불구하고 준수가 영어 학원 어휘 시험이 있는 날은 이른 하원이 불가능했다. 그 부분에 대해서 준수가 영어 학원에 4시간씩 있는 게 말이 되냐며 투덜거렸지만, 부모인 내 입장에서는 학원에 정말 고마웠다. 집에서는 어떻게 해도 하지 않는 부분을 학원의 도움을 받고 있다고 생각했다.

원래 5시 30분 하원인 준수는 그날 7시가 다 되어서 하원을 했다. 무거운 발걸음을 간신히 옮기며 학원 건물을 나오는 준수에게 나는 반갑게 인사를 했다. 인사를 하며 아이를 훑어보니 준수의 왼쪽 손바닥에는 밴드가 붙여져 있었고, 바지 무릎에는 구멍이 나 있었다. 나는 준수에게 다가가 아이의 손을 맞잡으며 다친 아이의 손바닥을 살폈다. 어쩌다 손을 다쳤는지, 무슨 안 좋은 일이 있었던 건지에 대해서 물어보았다. 준수는 내가 기다리고 있는 모습을 보고 기뻐하며 기찬이, 성수랑 축구를 하다가 넘어진 거라고 대답했다. 나는 반짝이는 준수의 눈을 바라보며 둘만 외식을 하는 건 어떠냐고 물었다. 준수의 무거웠던 발걸음이 한껏 씩씩해 지면서 돈까스가 먹고 싶다고 대답했다. 학원 근처에 있는 은하수 식당 식탁에 준수와 마주 앉았다. 막 나온 따끈한 돈까스를 보자 준수의 기분이 더 좋아 보였다. 원래라면 스스로 잘라 먹는 돈까스를 일부러 내가 작게 잘라 주자 준수는 좋아서 주는 대로 포크로 찍어 먹었다. 준수가 맛있게 먹는 걸 보면서 준수에게 질문을 했다. 준수는 기분이 좋은지 묻는 말에 짜증 없이 대답을 해 줬다.

기찬이, 성수랑 축구 할 때 너무 많이 다치는 것 같아 걱정이 된다고 하자, 자기는 아이들과 축구를 할 때 가장 행복하다고 했다. 그런데 오늘은 어쩌다 다쳤냐고 하니 자꾸 축구를 하다가 지니까 다들 기분이 나빴다는 애매한, 포괄적인 이야기만 자꾸 했다. 하지만 아이가 하는 이야기 중간 중간 성수가 준수에게 화를 내고 밀치고 했다는 이야기가 드문드문 나왔다. 아이들이 자신에게 화는 낼 때가 있지만 화만 안내면 정말 좋은 친구라는 이야기를 계속 강조했다. 준수의 이야기를 들으면서 무언가 잘 못 되었다는 생각이 들었다. 초등학교 5학년 남자 아이가 친구들에 대해서 하는 반응 치고 어딘가 이상했다. 지금 준수가 하는 말은 친구들이 준수에게 한 이야기를 나에게 그대로 전달 하는 느낌이었다. 그리고 정확하게 상황을 다 설명해주지 않으니 준수가 어떤 상황이었는지 제대로 알기 어려웠다. 그런데 친구가 생겨서 좋다는 준수의 말을 믿고 싶었다. 준수가 행복하게 친구들과 학교를 다닐 수 있으면 좋겠다고 생각했다.

준수와 이야기를 나누고 며칠 후 다시 담임 선생님의 전화가 왔다. 준수가 아이들이 찬 축구 공에 머리를 맞았다고 했다. 그래서 이마에 멍이 들었으니 놀라지 안으셨으면 한다고. 집에서 본 준수는 이마가 퍼렇게 멍이 들어 있었다. 준수에게 맞은 자리가 이상해서 재차 물어 보니 선생님 말처럼 축구 공에 뒤통수를 맞은 것이 아니고 아이들이 축구에서 지니까 등 뒤에서 준수를 밀었다고 했다. 밀려서 기둥에 머리를 부딪혔다고. 이제는 준수도 친구들과의 관계에서 이상한 점을 느끼고 있었다. "얘들이 축구에서 지면 자꾸 밀고, 화를 내서 축구 하기 싫어요. 짜증나요. 나한테만 뭐라고 하고. 이기면 잘 해 주는데. 매일 지는 것 같아요." 준수가 힘없이 말했다. 풀이 죽은 준수에게 남편은 아이들에게 축구 하기 싫다고 말해보라고 조언했다. 준수는 축구를 안하면 반에서 아무도 자기와 놀아주지 않는다고 했다. 친구랑 놀겠다고 하기 싫은 걸 억지로 해서는 안된다고 하니 엄마가 전에는 하기 싫은 것도 억지로 해야 한다고 말했다는 걸 예로 들어서 말의 핵심을 벗어나게 했다. 준수와 대화 하면서 많이 느꼈던 부분들인데 언쟁이 있을 때는 더 거슬리는 태도였다.

"준!수!야!!" 나는 준수의 대답이 너무 답답해서 또 소리를 질렀다.

무슨 상황인지도 모르고 애들한테 끌려 다니면서 맞고 다니는 것이 준수의 모습인 것 같아서 너무 화가 났다. 준수를 괴롭히는 아이들에게도 화가 나고 그런 상황을 못 읽는 준수에게 더 화가 났다. 이 아이는 대체 왜 이렇게 멍청한 거지?

"여보..잠깐만..내가 준수랑 밖에 나가서 이야기하고 올께요."

내가 점점 날카로워 지는 것 같으니 남편이 나에게 제안했다. 그리고는 서둘러 준수를 데리고 집 앞 공원으로 나갔다. 둘이 나갔지만 준수가 처한 상황들이 머리에 그려지기 보다는 정리가 안되고 화만 났다. 그러다 머리가 아파왔다. 나는 익숙하게 타이레놀을 까서 털어 넣고 그대로 잠이 들었다. 올해 들어 머리가 안 아픈 날이 드물 정도로 자주 두통에 시달렸다.

다음 날 나는 남편과 짬을 내서 어제 있었던 일에 대해서 통화로 전해 들었다. 그에게 준수가 '정말 학교를 그만 두고 싶다. 반 친구들 중에서 자신을 좋아하는 친구는 없고 지각 때문에 학교 가자 마자 선생님께 혼나고, 선생님이 해오라는 것들도 제대로 못하는 것 같고, 해야하는 과목들은 모두 어렵고, 그나마 친구들과 축구 할 생각에 학교를 갔는데 요즘은 친구들이 축구 할 때도 화를 내서 더 이상 학교에 다닐이유가 없는 것 같다'고 했다는 것이다.

그에게서 준수의 이야기를 전해 듣고 나는 무엇이 아이를 위한 일인지 고민이 됐다. 준수가 이야기 한 학교 생활은 지옥 같을 것 같았다. 준수도 가고 싶지 않은 곳이었기 때문에 그렇게 지각을 하지 않았을까 싶기도 했다. 하지만 그렇다고 아이가 그만두고 싶다고 할 때 그만두게 해주는 것이 과연 아이를 위한 길일까? 그리고 초등학교를 그만두면 대안 학교를 가야 하는 건가? 초등학교를 그만 둔다는 생각을 해본 적이 없는 나에게 정말 막막한 주제였다. 게다가 생각하고 싶지 않은 주제였다. 내 아이가 초등학교에 적응을 못해서 자퇴를 한다는 건, 실패를 의미하는 것 같았다. 남편은 준수에게 축구 하는 친구들이랑은 더 이상 놀지 않는 것이 좋을 것 같다고 조언을 했다고 했다. 준수는 어쩌다 학교가 지옥이 되었을까? 하지만 어디에서부터 실타래를 풀어야 하는 걸까?

갈수록 준수랑 이야기를 하면 점점 빠르게 날카로워 지는 것을 느꼈다. 느끼지만 나도 준수 학교에서 오는 전화, 학원에서 오는 전화를 받으며 계속 지쳐갔다. 아침에 일어나지 못하는 아이를 깨우기 위해서 내가 학교를 그만 두면 좋아지는 건지. 아니면 아이가 학교를 그만 두면 상황이 모두 정리가 되는 것인지. 나도 남편도 쉽사리 결론을 내릴 수 없었다. 결론은 없는 채로 나도 남편도, 심리상담, 자퇴, 대안 학교, 검정고시 같은 단어들을 말로 하지 안았지만 마음 속에서 떨쳐내지 못한 채 지내다 보니 감정적으로 소모되는 느낌이었다. 하루가 멀다 하고 우리는 아이의 생각을 들어보려고 거실에 모여 앉았지만 언제나 비협조적인 자세로 툴툴거리기만 하는 아이에게 화를 지르며 감정을 쏟아 내는 것으로 끝났다. 준수와의 감정이 너무 격해지면 아이는 자기 방에서 핸드폰이나 게임기를 했고 나와 남편은 따로 밖에서 소주를 나눠 마시며 상황을 견디려고 했다.

준수는 보란 듯이 매일 지각을 하고, 수업 시간에 멍하니 있고, 학원 수업도 제대로 이루어지지 않는다는 결과물들을 가져 왔다. 우리는 준수에게 이렇게는 자퇴도 검정고시도 할 수 없다고 이야기했고 아이는 우리가 화내는 상황을 모면하기 위한 사과를 하고 같은 행동을 반복했다. 고집스러울 만큼 달라지지 않는 아이에게 걱정보다 체념이 되어 갔다. 준수와 우리의 사이가 멀어지자 시혁이가 준수에게 짜증을 내고 화를 내는 정도도 점점 심해 졌다. 시혁이와 준수가 함께 있는 때라고는 늦은 저녁을 함께 먹을 때 정도 인데 예전에 함께 웃으며 밥을 먹던 모습은 사라 진지 오래고 둘 다 아무 말 없이 밥만 먹고, 자기 방으로 들어 가 버렸다.

그렇게 지내던 어느 날 늦은 시간 학원에서 돌아온 시혁이가 말을 걸었다. 시혁이는 준수 때문에 엄마가 힘들어 하니 도와주고 싶은데 아무리 깨우려고 해도 준수가 안 일어 나고 지각을 계속 하는 걸 보니 준수에게 무시당하는 기분이라고 했다. 준수가 제대로 하지 않아서 우리 가족이 모두 힘든 것 같다며 요즘은 준수가 없어졌으면 좋겠다는 생각이 자꾸 든다고 했다. 나는 시혁이가 요즘 우리의 상황을 어떻게 받아 들이고 있는지를 알아차리지 못하고 있었다. 그런 나에게 아이가 먼저 이야기 해줘서 고마웠다. 준수가 왜 제대로 생활 하지 못하는지 몰라서 힘든 마음을 감추고 나는 시혁이에게 진심으로 이야기하려고 했다. 준수가 지금은 제대로 못하고 있지만 그래도 하나 뿐인 동생이고 우리의 가족이 도와줘서 준수가 조금이라도 나아질 수 있도록 함께 노력 해 주는 것이 옳다고 설명했다.

우리가 준수와 감정적으로 부딪히는 동안 믿을 만한 시혁이는 알아서 잘 하리라 생각을 했지만 결국 그것도 우리의 헛된 바람이었을 뿐, 우리가 기대한 대로 되지는 않는 것이었다. 준수와의 일이 준수와의 일만으로 끝나지 않고 시혁이에게도 파장이 전달 되고 있었다. 아무리 부모라도 자식이 이해 되지 않아서 서운하고, 자식은 이해 받지 못 해서 속상한 마음이 차곡차곡 쌓여서 서로에게 배신 당한 것 같은 기분까지 들었다. 서로에 대한 불편한 마음들은 감추려고 해도 다른 가족에게 감춰지지 않았다. 그렇게 가족은 서로서로 불편한 마음으로 물들어갔다. 준수는 시간이 지나며 좋아질 거라고, 준수가 이번 일은 실수한 걸 거라고, 넘어가면 나아질 거라고 생각하며 덮으려고 한다고 해서 덮어지지 않았다. 준수는 공부가 재능이 아니라서 다른 재능을 찾으면 잘 할 거라고 단지 지금 이 시간을 견디면 준수는 자신의 재능을 찾아서 잘 할 거라고 나와 준수에게 계속 이야기하며 아닌 척 할수록 누군가는 계속 상처를 받아야 했다. 그걸 시혁이가 아파하는 것을 보고 알았다. 이건 아닌 것 같았다. 우리는 모두 자신의 자리에서 최선을 다 한다고 했지만 아무도 행복하지 않았다.

시혁이와 이야기를 한 후 남편과도 상의를 해서 우리는 준수를 데리고 상담 센터를 가보기로 했다. 준수와 자퇴까지 이야기를 해 가며 아이의 태도를 바꿔 보려고 했지만 모두 실패한 터라 나도 자포자기한 심정이 되어갔다. 우리는 인정하고 싶지 않았지만 도움이 필요했다.

"어머니 자리에 앉으세요. 오늘 준수 검사 결과를 들으러 오신 거죠?"

화이트 톤의 공간에 상담 책상과 가구가 배치되어 있어 안정적인 느낌을 주는 상담실로 불려 들어가 혼자 자리에 앉았다. 친절하게 대해주는 심리 상담센터장의 태도에 불안한 마음이 들지 않았다. 그녀는 꽤 긴 결과지를 여러 장 들고 나에게 군데 군데 줄을 쳐가며 낮고 편안한 톤으로 설명을 이어갔다. 그녀의 차분한 목소리에서 나는 어떤 불편한 마음도 느끼지 않았고 그녀가 짚어주는 내용들은 그 동안 내가 아이를 보면서 느껴서 알고 있었던 것들의 나열이긴 했다.

상담센터장은 표정의 변화가 거의 없는 상태로 계속 설명을 이어가면서 중간 중간 편안하게 웃었다. 그녀는 준수의 대면 상담 전에 이루어 졌던 부모 검사지에 대한 결과를 이야기 해 주면서 내가 준수에 대해서 비교적 객관적인 자세를 가지고 있다고 했다. 상담을 오는 아이들의 부모님들은 아이의 상태를 주관적으로 많이 적는데 준수에 대해서 부족하다고 느낀점이 높은 점수로 나온 부분을 짚었다. 또한 남편이 준수와 동행해서 대면 상담을 받은 일에 대해서 아빠가 상담 시 보호자로 오는 경우는 많지 않다며 칭찬을 이어갔다. 그러면서 우리의 양육 태도는 ADHD를 가진 아이를 양육 하시기에 적절해 보인다고 했다. 따로 부모 상담을 병행 할 필요가 없을 것 같다고 했다. 그렇게 설명을 마무리 지으며 그녀는 최대한 가벼운 어조로 준수는 ADHD로 확진 되었다고 했다.

그녀가 아무 일도 아니라는 듯이 공기, 나비 같은 말을 내뱉듯이 뱉은 ADHD라는 단어를 들었다. 나는 처음 마음을 고백했다 거절당한 소녀처럼 마음은 찢어지는데 그 아픔이 체감되는 데까지 시간이 조금 걸리듯 그 단어 앞에서 조금 멍하게 되었다. 그와 동시에 내가 준수를 위해서 해 줘야 하는 것들이 남았다는 생각이 났다. 지금부터 앞으로 겪을 모든 일이 처음인데 아이 혼자서 겪게 할 수 없으니 나는 대비를 해야만 한다는 생각이 들었다. 통증이 시작될 것 같은데 정신을 차려야 했다.

상담 센터에 결과를 들으러 가기 전까지 나는 사실 ADHD에 대해서 아는 것이 없었다. 그나마 TV에서 본 장면들이 다였기에 걱정이 되었다. 질문에 앞뒤 없이 머릿속에서 당장 떠오르는 대로 그녀의 시간이 허락하는 한 질문을 했다. 약과 병원에 대한 질문에 그녀는 자신의 센터에서 검사한 결과를 바탕으로 병원을 예약하면 별도의 재검사 없이 진료가 가능하다고 안내해 주었다. 많은 부모님이 치료제가 아이에게 해로울 것을 염려하시는데 그것은 사실이 아니라고 했다.

그녀는 우리가 아이와 지내면서 가장 힘들었던 것을 물었다. 아침에 못 일어나서 계속 지각하는 것과 4학년 때부터 학습량을 못 따라가는 것에 관해 이야기했다. 지각하는 부분과 학습량은 아이가 약을 먹으면서 치료하고 심리 상담을 병행하면 대부분 좋아진다고 했다. 본인 물건을 제대로 챙기지 못하는 부분은 습관을 들일 수 있도록 노력해야 한다고 했다. 친구들과의 관계에서 자신에게 우호적인 아이와 그렇지 않은 아이를 잘 구분하지 못하고, 겉으로 친절한 것과 의도를 숨기고 접근하는 아이를 구분하지 못 해서 아이들에게 이용당하거나 괴롭힘을 당하는 등 친구를 제대로 사귀지 못하는 것 같다고 했다. 이 부분은 준수처럼 조용한 ADHD 친구들 사이에서 흔한데 많은 좌절 데이터가 쌓여야 사람을 골라서 만나게 될 거라는 답변이 돌아왔다. 사람들에게 많은 상처를 받아야지만 관계를 알 수 있게 된다니 준수가 아플 수밖에 없을 거라는 결론을 들은 것 같아 실망스러웠다.

그녀는 상담받는 것이 병원만 다니는 것 보다 효과가 더 있다고 설명하면서 상담 예약을 받았다. 나는 준수의 상담 날짜는 남편과 상의해서 알려 드리겠다고 하고 준수의 진단명이 쓰인 검사 결과지를 받아서 센터를 나왔다. 어느덧 시월의 기분 좋은 바람이 불고 볕도 사납게 내리쬐지 않았다. 나는 걸어서 집으로 돌아 가면서 남편에게 전화했다. 준수 심리 상담을 가자고 먼저 남편이 제안했다. 더 이상 이렇게 매일 싸울 수는 없고, 내가 계속 두통약을 먹으며 견디는 것보다는 방법을 찾아야 한다고. 반대하는 나를 설득해서 본인이 상담 센터를 찾아서 예약했고, 셋이 검사를 받으러 왔었다.

"여보, 준수 ADHD래요. 주의력결핍장애라고 하시네요." 방금 상담 센터장이 나에게 했듯 나도 최대한 마음을 넣지 않고 말했다. 남편은 내가 혼자 결과를 듣느라고 수고 했다고 말해 주었다. 앞으로 우리가 준수를 도울 방법도 찾아보자, 고도 했다. 남편도 길게 이야기 하지 않고 끊었다. 나는 이제 상담 센터에 들어 가기 전과 후로 나뉘어 버렸다. 아이를 키우는 엄마에서 ADHD 아이를 키우는 엄마가 되었다. 어리석은 생각이라고 떨쳐내려고 했지만, 그 생각이 계속 들었다. 나와 내 아이에게 딱지가 붙었구나. 평생 지워지지 않을 주홍 글씨처럼.

생각이 거기에 미치자 자꾸 눈물이 나왔다. 아이를 키우고 마흔이 넘으면 이렇게 길거리에서 눈물을 흘리는 일은 없으리라 생각했다. 그것도 내 오해였구나. 마흔이 넘어도 아이를 둘이나 키워도 그냥 눈물이 나는 일이 있었네. 나는 집으로 돌아오는 중간까지 흐르는 눈물을 내버려두었다. 그리고 우리 아파트 단지가 보이는 곳에 다다랐을 때 그만 울기로 마음을 정리했다. 내가 펑펑 울어서 준수가 ADHD가 아닌 게 된다면 나는 일주일이라도, 일 년이라도 울겠지만 나는 다시 준수에게 저녁을 주어야 하고 준수의 빨래를 해 주어야 했다. 나는 결과지를 책상 서랍 안쪽에 아무렇게나 넣어 두었다.

집에 돌아오니 남편이 집에 와 있었다. 남편도 아무것도 손에 잡히지 않는지 핸드폰을 보지도, TV를 보지도 않고 멍하니 앉아있다가 나를 보고 저녁을 나가서 먹자고 했다. 우리 둘이 마음을 정리해야 했다. 동네에 새로 생긴 갯가재 집을 갔다. 둘이 오뎅탕을 하나 시켜 놓고 소주를 마셨다. 나는 오늘 상담실에서 상담 센터장이 나에게 해준 이야기를 남편에게 다시 이야기해 주며 상황을 되짚어 봤다. 그리고 결론은 준수가 ADHD로 확진이 되었다는 거였다. 그 이야기를 하면서 남편과 둘이 울었다. 세상 편견의 중심에서 살아가야 할 준수가 너무 안타까워서 눈물이 났다.

내가 살면서 한 번도 생각해 본 적 없는 ADHD를 가진 아이를 사랑하며 살아 가는 삶이, 남들과 같을 수 없는 길이 내 앞에 펼쳐졌다.

# 분실물을 찾았습니다

이지영

**이지영**  일복이 넘쳐나는데 상사운이 잘 따라주지 않는다. 배우는 것을 좋아하고 하나하나 깨달아가는 과정을 좋아한다. 그래서 이것저것 배우다 보니 취미부자가 되었다. 혼자 우는 걸 좋아하지만, 때로는 누군가에게 위로를 받고 싶어한다. 언젠가는 연봉 1억이 넘는 브랜드마케터가 되지 않을까 하는 기대감으로 하루하루를 부지런히 살아가는 중이다.

instagram: @sis_ask
blog: blog.naver.com/rhdwn0189

봄이 왔다. 시린 겨울 바람에 전기장판을 깔아 놓은 침대 밖으로 나가기가 싫었던 것이 엊그제 같은데, 어느 새 시원한 바람이 불었으면 하는 날씨가 되어버렸다. 그렇지만 포근포근한 이불은 아직 포기할 수가 없어 여전히 두툼한 이불 속에서 부스스한 갈색 머리가 따스한 햇살을 만끽하며 눈을 뜬다. 진동 소리와 함께 '띵동' 소리가 침대 옆에 놓여 있는 협탁 위 핸드폰에서 들려온다. 핸드폰을 들어 확인해 보니 점심 먹으러 언제 올 거냐는 5년지기 지나의 연락이었다. 그리고 그 위로 보이는 시간은 오전 11시다. 다경은 편안한 표정으로 기지개로 온 몸을 늘렸다가 꾸물꾸물 일어난다. 눈 밑은 거뭇거뭇하고 눈도 제대로 못 뜬 채 5분만 더 누워있을까 생각하는 걸 보면 전날 얼마나 늦게 잤는지 알 수 있을 정도다. 야근에 또 야근을 하는 삶이다 보니 주말에 점점 일어나는 시간은 늦어진다. 그렇지만 지금의 이 삶이 나쁘지는 않기에 계속 이어나갈 마음을 갖고 있다. 다경은 화장실로 이동해 빠르게 샤워를 마치고 옷을 갈아입었다. 귀여운 로고 하나가 그려져 있는 남색 후드 티와 연한 컬러의 청바지를 입은 채 하얀색 컨버스

가방을 둘러매주면 다경의 주말룩이 완성된다. 예쁘고 귀여운 것들을 좋아하지만 불편한 것은 딱 질색이다. 목을 조여오는 것 같은 목폴라와 목 끝까지 채워 입어야 하는 셔츠의 경우 회사에서 브리핑 하는 날 외에는 거의 입지 않을 정도다. 뾰족한 하이힐과 짧은 치마 역시 두 세 달의 한 번 입을까 말까. 긴장된 느낌보다 느슨하게 풀어져 있는 옷차림을 좋아하는 것만큼 일상 또한 느슨하게 살아갈 것 같지만 또 그렇지는 않다. 다경의 일상은 무척 바쁘다. 새벽까지 야근하는 것이 부지기수인 바쁜 삶 가운데 취미 생활을 늘려가는 것을 좋아한다. 프리다이빙부터 수영, 영어 공부, 피아노, 사진 촬영 등 다양한 취미가 많다 보니 알게 된 사람들도 많고 그 사람들과 주말 약속을 잡다 보면 한 달이 금방 지나가 버릴 정도다. 그러면서도 집에서 밀린 드라마를 보면서 바깥으로 한 발짝도 나가지 않는 시간을 때때로 즐기기도 한다. 나갈 준비를 마무리하고 밖을 나서니 나른하고 따스한 햇살과 살랑이며 부는 선선한 바람이 기분을 좋게 만들어 준다. 다경은 잠시 후 도착할 가게 주인과의 첫 만남을 생각했다. 심야식당의 주인인 지나와는 알고 지낸 지 벌써 5년이 넘었다. 돌아보니 시간이 꽤 흘렀다는 생각을 하며 발걸음을 조금 더 빨리하였다. 집 앞 10분 거리에 있는 심야식당은 24시 편의점 건물 2층에 있다. 편의점 한편에 사람 한 명 정도 지나다닐 수 있게 생긴 유리 문을 열면 턱이 높은 계단이 눈에 들어온다. 계단을 터벅터벅 밟고 2층으로 올라가면 십자가 모양으로 유리창이 나 있는 나무문이 보이는데 여기가 바로 지나의 가게다. 가게 오픈 시간은 저녁 10시인데, 친구라는 프리패스 덕분에 점심에도 밥을 먹으러 올 수 있다. 가게 문을 열고 들어가니 문에 붙어있던 종이 딸랑하고 소리를 내며 가게 안에 울려 퍼졌다. 그 소리에 안에서 분주하게 요리하고 있던 지나가 고개를 들어 다경을 반갑게 맞이하며 인사한다.

"왔어?"

가벼운 인사말에 다경 또한 가볍게 인사를 하고는 날씨가 좋다는 말과 함께 카운터 좌석에 앉았다. 지나의 가게는 25평 남짓한 가게인데, 정사각형의 틀이 아닌 한쪽이 삐죽하고 나와 있는 오각형 모양으로 생겨있다. 가게의 왼쪽 벽면을 빙 둘러 만들어놓은 창가 좌석은 위로 여는 여닫이 창문이었는데, 어두운 컬러의 원목 창문이라 가게의 빈티지한 느낌에 한몫했다. 테이블 좌석은 나무로 된 테이블이 두 개 놓여 있었는데, 4인석과 2인석으로 떼었다 붙였다 할 수 있어 유동적으로 손님을 받을 수 있었다. 그래도 이 가게의 가장 좋은 자리는 카운터 좌석이라 할 수 있다. 가게의 오른쪽 벽면을 담당하는 카운터 좌석은 오픈되어 있는 주방을 마음껏 엿볼 수 있게 의자를 높게 만들어 놓았다. 사람들과 이야기하면서 장사하고 싶다는 지나의 장사철학이 담겨있는 가게 인테리어였다.

"우리 처음 만났던 날도 벚꽃 엄청 펴있고 바람 선선하게 불고 좋았는데."

지나가 창문 밖을 바라보며 다경에게 말을 걸었다. 5년 전 그때를 회상이라도 하는지 눈가가 아른해 보이기도 한다. 다경은 그런 지나를 보며 피식하고 씁쓸한 듯 혹은 시원해 보이기도 하는 미소를 지어 보이며 웃었다.

"그랬던가? 밤이기도 했고, 그때는 그런 거 볼 시간이 없었던 때라"

어깨를 으쓱하며 고개를 드니 바쁘게 움직이던 지나와 눈이 마주쳤다. 처음 보았을 때만큼 여전히 커다랗고 맑은 눈을 가진 지나였다.

"맞다…… 너 그때 많이 힘들어했었지? 그랬을 수도 있겠다. 어휴…… 나는 아직도 너 육교 위에서 울고 있던 거 생각하면 심장이 덜컹한다."

지나가 한 손으로 턱을 괴면서 한숨을 푹 쉬는 모습을 보고는 다경이 또 그 소리를 하는 거냐 하는 표정과 함께 항의하는 듯한 말투로 입을 열었다.

"몇 번이고 다시말하지만, 그때 죽으려고 했던 거 아니고요. 고속도로 위에 있는 육교라서 차 소음에 마음 놓고 소리 내서 울 수 있어서 그랬던 겁니다?"

다경은 고속도로가 시작되는 입구 바로 위에 있는 그 육교를 좋아했다. 한 동네에서 쭉 살아왔던 다경은 초등학교부터 중, 고등학교 시절까지 그 육교를 이용해서 학교와 집을 등하교 했었다. 그러다 고1 무렵 횡단보도가 생긴 뒤부터 이용하는 사람이 거의 없게 된 육교는 고3 수험생 시절에 다경의 눈에 들어왔다. 수능을 앞두고 본 마지막 모의고사는 절망적이었다. 어디 가서 고래고래 소리라도 지르고 싶었지만 코인노래방조차 없던 시절이기에 맘 놓고 울 곳이 없었다. 집 역시 혼자 쓰는 방이 아니었기에 울 수 있는 공간이 없었다. 그래서 더욱 속이 갑갑하고 미칠 것만 같았다. 그러다보니 차들이 쌩쌩 달리고 아무도 관심을 갖지 않는 고속도로 위 육교는 고3 다경에게는 아지트와도 같은 공간이었다. 영영 울 수 있는 몇 없는 공간. 그게 바로 그 육교였다. 사회생활을 시작하면서 얻은 집은 본가에서 그리 멀지 않은 곳에 자리를 잡았던 터라 육교 역시 가까웠다. 얼마든지 울 수 있는 공간이 생겼지만, 다경은 그저 사무치게 울고 싶은 심정일 때면 그 육교로 여지없이 향하고는 했다.

"그래요. 그래요. 하지만 생각해 봐라. 나 진짜 식겁했어. 웬 여자가 육교 난간 붙잡고 엉엉 울고 있으면 그런 생각이 안 들겠냐고요"

저 말을 들으니 그것도 나름대로 이해는 가다 보니, 다경은 머쓱하게 머리를 긁적거리면서 바 테이블에 앉았다. 그리고 시야에 들어오는 지나를 따라 시선이 왔다 갔다 움직였다. 분주하게 움직이고 있는 지나는 음식을 내올 준비를 하느라 바빴다. 심야식당을 운영하는 지나는 예전에 몇 번 다경의 도움으로 SNS에 올라오기도 하면서 인기를 끌기도 하였다. 지금은 뜨내기손님들보다는 오랜 단골들이 많이 오는 가게로 자리 잡았다. 그래서 그런지 가게 한편에는 손님들이 두고 간 소품들부터 시작해서 지나가 그동안 여행 다녔던 곳들의 소품들이 한가득 장식되어 있었다. 손님들과 찍은 사진들은 또 어찌나 많은지 한 벽을 다 채우고도 부족해 창문에도 덕지덕지 붙어 있었다. 지나는 하루를 고단하게 보낸 손님들에게 위로가 될 수 있는 요리를 준비해 주며 이야기를 나누고 싶다고 5년 내내 얘기했었다. 돈을 벌려고 하는 것보다 자기만족을 위해 가게를 운영하는 만큼 지나는 지금의 가게를 너무 사랑한다. 돈을 생각한다면 요리 하나 시키고 2, 3시간 떠들다 가는 지금의 환경을 절대 찬성할 수 없지만 지나에게는 상관없는 일이었다. 그녀는 따스한 사람이었다. 처음 만났을 당시에도 지나는 울고 있는 다경을 붙잡고 괜찮냐고 몇 번을 물어보았다. 다경은 10년을 넘게 그 육교를 이용했지만, 단 한 번도 사람을 마주한 적이 없었다. 그만큼 당황스럽기도 하고 창피하기도 해서 후다닥 일어나 자리를 떠나려고 했으나 지나에게 붙잡혀서 이 가게로 들어오게 되었다.

"나 역시 당황스러웠다고. 진짜 괜찮다고, 그런 의도 아니었다고 말하는데도 가게 가서 밥 먹고 가라고 성화였잖아 너."

"너 표정이 전혀 괜찮지 않았단 말이야. 그래서 안 되겠다 싶어서 데려온 거지."

지나는 부산스럽게 움직이면서 말을 계속 이어갔다.

"그날은 장사를 조금 늦게 열 생각으로 천천히 가고 있었던지라, 밤 10시가 넘은 시간이었는데 웬 여자가 서럽게 울고 있지. 거기에 괜찮다고 말하는 얼굴은 거의 무너지기 일보직전이었다고……"

지나는 말하다가 울컥했는지 물기 어린 목소리가 가득하다. 지나의 눈시울은 순식간에 눈물이 방울방울 맺히는 게 보였다. 그 와중에 음식은 또 따뜻할 때 먹이겠다는 마음으로 빠르게 요리한 음식을 담아내려고 하는 게 지나의 성격을 잘 보여주는 듯했다.

"야! 너 울어? 진짜 이게 몇 년도 더 된 일인데! 그리고 울어도 내가 울어야지 왜 네가 우는데"

"내가 감수성이 뛰어나서 그러는 걸 어떡하겠니."

흑흑거리면서 손으로 눈가를 훔치고는 다경에게 음식을 내어준다.

정갈하게 한 상차림으로 나오는 오늘의 메뉴는 돼지고기간장덮밥

인가 보다. 간장 소스에 졸여진 돼지고기는 불맛을 입혔는지 훈제향이 솔솔 올라온다. 그 위에 양파와 파 그리고 구운 마늘 토핑이 식욕을 자극시켜 준다. 덮밥 그릇 오른쪽에는 된장국이 따끈하게 김이 올라오고 있다. 분명 한 입 호로록 마시는 순간 온몸이 따스해지는 기분 좋은 만족감을 더해줄 맛일 거다. 이 맛있는 메인 메뉴들을 먹기 전에 상큼한 오렌지 소스를 뿌려 놓은 샐러드부터 먹어줘야 제대로 지나의 한 상을 즐길 수 있을 것이다.

"지나야, 너는 진짜 요리 천재다. 그날 널 따라오길 잘했어"

"말 돌리기는, 그렇지만 칭찬 고맙습니다. 손님"

헤헤하면서 지나가 웃으며 다경의 옆자리로 자신이 먹을 한 상차림을 들고 나와 나란히 앉는다. 다경은 예전에 지나에게 배웠던 대로 샐러드부터 꼭꼭 씹어서 먹는다. 그러니까 몇 년 전까지만 하더라도 매일매일 바빠서 밥은 최대한 간단한 것들로 때우는 것은 기본이었고 점심시간다운 점심시간을 보내본 적이 없었다. 다경은 어린 시절부터 꿈이었던 마케팅 일을 업으로 갖게 되면서 너무나 행복했다. 사무보조, 혹은 경리직을 하면서 남들과 비슷한 삶을 살아가던 다경은 꿈을 포기하지 않았다. 언젠가 기회가 온다면 꼭 잡을 거라 생각하며 계속 공부하고, 관련 자격증을 취득하며 이력서를 계속 넣어가며 기회를 얻고자 노력했다. 그러다 28살 즈음 마지막 기회일지도 모른다는 생각이 들었다. 이제는 신입으로 들어가기에는 너무 나이가 많아 뽑지 않을 수도 있겠다고 생각하며, 가고 싶었던 회사의 마지막으로 지원을 하였다. 그때는 28살도 정말 나이가 많다고 스스로 생각을 했기에 지금 이

기회가 마지막 일지도 모른다는 생각에 더욱 간절하였고 합격했다는
소식에 진짜 꿈을 이룰 기회가 온 거라는 생각에 뛸 듯이 기뻤다. 하지
만 꿈과 현실은 너무나 달랐다.

"넌 생각이라는 게 없는 거니? 이렇게 스케줄을 잡으면 어떡해?"

"저……저번에 대……대리님께서 이……이렇게 준비하라고……"

"얘, 그때는 그때고 지금은 지금이잖아. 생각을 조금이라도 했으면
쉽게 갈 수 있었던 일을 너도 참 어렵게 간다."

"죄……죄송……죄송합니다……"

다경의 상사는 손가락으로 다경의 이마를 쿡쿡 찌르며 뾰족하게 날
이 서있는 목소리로 다그쳤다. 다경은 바짝 얼어서 숨도 제대로 쉬지
못한 채 상사의 앞에 서서 모진 말들을 그대로 뒤집어쓰고 있었다. 그
저 이 순간이 끝나길 바라는 마음으로 자꾸만 차오르는 눈물을 꾹꾹
눌렀다. 다경은 모든 게 자신의 잘못이라 생각했다. 능력도 안 되면서
괜히 이 회사에 지원해서 상사를 힘들게 하고 있다고 생각하며 자책했
다. 좀 더 괜찮은 직원이 들어왔더라면 자신의 상사도 이렇게 매일 화
내지 않고 웃으면서 지냈을 텐데, 자신 때문에 모두를 힘들게 하는 것
같아 미안했다. 매일매일 쉬지 않고 내뱉는 독한 말들은 다경이 올바
른 생각을 하지 못하게 만들었다. 여기 아니면 지금 누가 너를 받아주
겠냐, 우리니까 지금 너랑 이만큼 일해주는 거니 감사한지 알고 똑바
로 일하라는 이야기를 하루도 쉬지 않고 해왔다. 거기다 나는 네가 진
짜 싫다고 모두가 보는 앞에서 면박을 주던 상사는 그렇게 다경의 꿈
과 삶을 좀먹었다. 어렸을 때부터 쓰던 다이어리는 이 회사에 다니는

동안에는 눈물자국이 마를 날이 없었고, '아무도 나를 도와주지 않는다.' '어떻게 해야 하는지 모르겠다.' '사실 내가 사회 부적응자 아닐까.' 하는 말들로 가득 차버렸고 어느 순간 아침이 오는 게 무섭기까지 하였다. 눈을 뜨는 것이 그저 무섭기만 하여 매일 밤을 눈물로 지새기까지 했다. 도움을 청하기 위해 뻗은 손들의 대답은 버티라고 하였다. 버티다 보면 다 해결된다고. 네가 20대도 아니고 30대인데 언제까지 이런 일로 힘들다고 도망갈 것이냐고 말하는 사람들의 말은 무심코 던진 돌에 개구리 맞아 죽는다는 것처럼 다경의 마음을 죽였다. 그리고 이미 지칠 대로 지쳐버린 다경은 퇴사를 생각하는 게 아니라, 자신이 이 세상에서 쓸모없는 인간인데 살아있는 게 맞는 걸까 하는 생각으로 자기 자신을 잃어버리고 말았다. 그렇게 의지할 곳 하나 없는 세상에서 오직 마음 놓고 울 수 있는 육교 위에서 다경은 지나를 만난 거였다. 지나는 다경을 끌고 자신의 가게에서 따뜻한 밥 한 끼와 함께 짧은 위로를 건네왔다.

'혼자서 그렇게 울면 더 서러워요. 무슨 일인지 모르겠지만 도와줄 테니 말해줄래요?'

따뜻한 몇 마디의 말은 괜스레 다경을 부끄럽게 만들었다. 다경은 꽤 오랜 시간 그곳에서 혼자 울곤 했다. 그녀에게는 눈물을 보이는 것이 너무나 창피한 일이었기 때문이었다. 첫째 딸로 태어나서 밑으로 동생이 셋이나 있었기에 집에서 우는 일은 없었다. 어린 동생들에게 우는 모습을 보이기 싫었을뿐더러, 자신을 든든한 딸로 믿고 있는 부모님에게 이런 나약한 모습을 보이는 것이 죽기보다 싫었다. 그런 성격이었기에 친구들에게도, 남자 친구에게도 힘들다고 말하는 것이 너무나 어려웠다. 그저 상황이 이러한데 너희라면 어떡하겠냐는 질문 정도 하는 수준이었는데, 지옥 같은 상황 속에서 도움을 요청했을 때 그녀에게 돌아오는 말들은 위로보다는 지금 포기하면 아무것도 안 된다는 충고 어린 조언뿐이었다. 혼자서 그렇게 울면 더 서럽다니…… 그렇게 한바탕 쏟아내면 얼마나 속이 후련한데 그런 것도 모르고 저런 말을 하다니. 하며 다경은 속으로 생각했다. 그러고는 자기랑 비슷해 보이는 또래의 여자가 가게 사장을 하는 걸 보면 집안이 좀 살겠구나 싶은 생각이 들었다. 세상에서 어려운 일 하나 없이 편하게 살았을 여자가 얼마나 대단한 도움을 줄 수 있을까 생각하며 코웃음을 치고는 밥을 빨리 비워내고 일어나야겠다고 생각했다. 그런데 그 밥이 꽤 맛있었다. 간만에 먹어보는 제대로 된 한 끼라서 그런 걸까 다경은 국 한 숟가락, 밥 한 숟가락을 떠먹으며 저 여자를 이렇게 보지 않았더라면 이 가게에서 밥 좀 사 먹었을 수도 있겠다는 생각이 들었다.

'어때요? 맛은 괜찮아요? 오픈 한 지 얼마 안 되기도 했고 아직 손님들이 별로 없다 보니까…… 아! 물론 맛있게 만들었을 거라는 자신은 있어요! 정말 정성스럽게 만들고 있으니까! 하지만 또 손님 입장에서는 간이 좀 더 세거나 혹은 약하다거나 하는 취향 차이라는 게 있으니까 그래서 혹시나 해서 물어보는 거예요! 정말 혹시나 해서!'

길게 늘어뜨려 말하는 여자는 자신 있다고 말하는 것과 달리 잔뜩 긴장한 얼굴을 하고 있었다. 맛있다고 말해주려고 입을 뗐던 다경은 잠시 멈칫하고 입을 열었다.

'그냥…… 먹을 만 하네요.'

별거 아닌 말에 밝게 웃으며 다행이라고 말하며 만족하는 지나의 그 미소가 다경은 거슬렸다. 서럽게 육교 위에서 울던 다경의 모습은 어디 가고 뾰족한 고슴도치처럼 날이 서서 말을 이었다.

'칭……칭찬 아닌데…… 먹을만한 음식 말고 제대로 된 걸 만들어야죠.'

미쳤다 이다경. 다경은 입술을 말아 이로 잘근잘근 깨물었다. 숟가락으로 정성스럽게 차려준 음식들을 툭툭 치면서 평가를 하는 자신의 모습을 지나의 눈에서 발견하였다. 기가 잔뜩 죽어 있으면서도 지나가 아파하고 상처받고 힘들고 속상했으면 좋겠다는 아주 모난 모습으로 남을 괴롭히는 자신의 모습을. 그리고 어쩌면 자신이 그렇게 경멸하고 싫어하던 상사의 행동을 똑같이 따라 하는 느낌이었다. 미치지 않고서야 자신이 그렇게 싫어하던 사람의 모습을 그대로 따라 할 수 있을까. 지나는 맑은 눈으로 입가의 미소를 지우지 않은 채로 자신의 모진 말들을 뒤집어쓰고 있었다. 그 모습을 보고 있으려니 다경은 자신이 상사에게 말도 안 되는 이야기들로 고통받는 모습이 떠올랐다.

'미안해요. 내가……내가……미쳤나 봐요 정말. 진짜 맛있었어요. 솔직히 처음에 밥을 빨리 먹고 자리를 떠야겠다고 생각했는데, 너무 맛있어서 기분이 좋아질 정도였는데, 내가 정말-'

다경은 얼마나 마음이 좁아졌으면 자신을 위해 따뜻한 밥 한 끼와 위로의 말을 건네 준 사람을 고운 시선으로 바라보지 못하게 된 걸까 싶어 서러움이 차올랐다.

'괜찮아요. 손님. 마음이 아플 땐 그렇게 실수도 할 수 있는 거잖아요.'

지나는 따뜻한 목소리로 다경의 뾰족한 말들을 실수라고 얘기해주며 그녀를 다독였다. 그 말들이 더욱 서러운 감정들을 참을 수 없게 만들었다. 이대로 여기에 있으면 뭔가 감정대로 행동이 이어질 것 같은 마음에 다경은 다급하게 일어섰다.

'아니 정말로…… 상처를 줄 의도는 없었어요. 정말……정말……정말 죄송합니다!'

그 말과 함께 가게를 빠져나왔다. 다경을 붙잡는 지나의 목소리가 들렸지만 무어라 형용할 수 있는 기분에 사로잡혔다. 그저 미쳤구나! 드디어 네가 미쳐버렸구나 하는 생각을 하며 다경은 정신 없이 뛰어 집으로 왔다. 사회생활을 하기 시작하면서 얻게 된 작고 소중한 다경의 보금자리에서 지나의 가게까지는 10분도 채 걸리지 않았다. 다경은 집에 오자마자 현관문 앞에 주저앉았다. 자신의 행동을 돌아보던 다경은 지나에게 제대로 사과도 하지 못한 채 도망 나온 것을 느꼈다. 한동안 다경은 현관 등이 여러 차례 꺼지고 켜지고 하는 동안 그 자리에서 벗어나지 못하고 쭈그려 앉아 훌쩍였다. 몇 번이고 사과를 하러 갈까 말까를 고민하던 다경은 상사와 같은 인간이 될 수 없다는 생각이 들어 다음 날 저녁에 다시금 찾아갔다. 그리고 지나는 그런 다경을 상냥하게 맞이해주었다. 자신이 생각했던 것과 달리 지나는 꽤 산전수전을 겪어왔던 사람이었다.

'이 가게를 오픈 하기 전에, 다른 동네에서도 가게를 했어요. 그리고 그 가게에서 술에 가득 취한 손님들이 고래고래 소리를 지르며 뭐라고 했던 적이 많았어요. 때로는 음식값을 내고 싶지 않다면서 나가버리는 경우도 있을 정도였어요. 그래서 손님의 말이 그렇게 뾰족하지는 않았어요. 더불어 손님이 이렇게 다시 오셔서 진심으로 사과를 해주셨으니까. 저는 정말 괜찮아요.'

어린 시절부터 장사를 시작했던 지나는 술에 취한 손님들에게 모진 말들을 들어왔고 실랑이를 하던 중 넘어져 다치는 것도 부지기수였었다. 경찰서도 자주 왔다 갔다 하며 어느 날은 법원까지도 가는 일이 있을 만큼 고단한 삶을 살아왔었더랬다. 라며 그날 술 한 잔 나누며 서로의 이름을 나누고 나이가 동갑인 것을 알고 친구 하자며 이야기 하던 중 알게 된 사실이었다. 그런 말들을 듣고 나니 그녀가 건넨 위로가 얼마나 마음이 깊게 담긴 위로였는지 새삼 느껴졌다. 다시 한번 그녀에게 사과하려고 하였으나 오히려 괜찮다는 듯 고개를 좌우로 설레설레 흔들며 웃었고 밥이나 자주 사 먹으러 오라며 술잔을 기울였던 것이 5년 전 두 사람의 처음이었다.

"그때 참 힘들었는데."

다경은 맑은 국을 떠 먹으며 그 시절을 회상하는 것을 마무리하였다. 지나 역시 다경과의 첫 만남을 맞장구치는 듯 고개를 끄덕였다.

"진짜 또라이 같은 상사 밑에서 수고 많았다 다경아."

지나의 걸걸한 말에 다경이 웃음을 터트렸다. 5년간 지나를 알아 오며 느낀 것 중 하나가 부드럽고 순둥해 보이는 인상과 다르게 그녀의 입은 장사를 하면서 쌓아온 세월 때문인지 생각보다 많이 걸걸하다는 거였다. 그러면서도 어찌나 감성적인지 눈물도 많아 다경의 얘기를 들을 때면 여지없이 눈물바다다.

"그러게. 진짜 수고 많았네! 나.. 지금 생각해 보면 왜 그때 그렇게 거기에 있어야만 한다고 생각했는지 모르겠어. 거기에 있지 않으면 안 될 것만 같았거든."

"야, 사람이면 다 그래. 미친놈이 계속 갈구고 있는데 어떻게 멀쩡한 생각을 할 수 있겠니?"

지나는 금방이라도 소주 한 병을 까서 마실 것 같은 말투와 표정으로 다경을 위로했다. 그녀는 5년이라는 시간 동안 한 번도 피곤한 내색 없이 다경의 이야기에 진심으로 듣고 대답해 줬다. 그 덕분에 다경은 제대로 된 위안을 얻을 수 있었다.

"그렇긴 해. 그래도 그 덕이라고 해야 하나? 퇴사하겠다는 말을 정말 뭐에 홀린 듯이 말해버렸으니까 말이야."

관두겠다고 말하던 그날 그 순간에도 상사는 변함없이 똑같았다. 그렇게 일할 거면 나가라는 말에 자신도 모르게 나가겠다고 말을 해버렸다. 그냥 정말로 뭐에 홀린 것처럼 나온 말이라, 수습하기 위해 고개를 들었을 무렵 상사는 코웃음치며 말했다. 여기 나가면 네가 갈 때가 있을 거 같냐 혹은 너 나이가 어린 것도 아니고 벌써 30대인데 지금 무슨 새로운 일을 시작한다고 나가느냐 하는 둥의 이야기였다. 이미 상처가 많이 나서 더 상처 날 자리도 없는 마음에는 저 날카로운 말들이 힘을 내지 못했다. 그저 거지 같은 상사의 이야기가 끝나기만을 바랐다. 뭐 더 할 말 있냐는 상사의 말이 끝나기 무섭게 죄송하다고 말하려던 다경은 생각과 다르게 퇴사하고 싶다고 대성통곡하며 말했다. 당당하고 똑 부러지게 그만둔다고 해야지 하고 집에서 연습까지 했었는데 격해진 감정을 추스르지 못하고 덜덜 떨면서 제발 그만두게 해달라고 말했다. 지금 생각해 보면 너무 추한 모습이었지만, 그렇게라도 퇴사하기를 잘했다.

"퇴사하고 네 가게 와서 엉엉 울며 그만뒀다고 말하니까, 거기 있던 손님들이 잘했다고 했던 게 너무 웃겼어."

다경은 아마도 그 육교에서 지나를 만나지 않았더라면 감히 누가 보는 앞에서 대성통곡하며 우는 것은 상상도 할 수 없었을 것이었다. 죽어 가고 있던 자신에게 따스한 밥을 주며 위로하던 지나를 만나지 않았다면, 지나를 향해 가시 돋친 말을 건네며 상처 주던 자신을 마주하지 않았더라면, 그리고 일 끝나고 지친 마음을 달래러 오던 심야식당에서 여러 사람들과 사람 사는 이야기를 나누며 마음을 터놓지 않았더라면, 그런 일은 절대 있지 않았을 일이었다.

"그날 생선가게 사장님이 술도 쏘셨잖아. 덕분에 매출 오르고 좋았어. 자주 퇴사해 줘 다경아."

"역시 장사꾼. 그런데 아쉽게도 당분간 퇴사할 일은 없을 것 같네."

"회사다닐 만한가 봐?? 매일매일 야근하고 어제는 새벽 2시에 끝나서 저녁 먹으러도 못 왔잖아. 안 피곤해?"

"음…….피곤하지. 그런데 마음이 피곤하지가 않아. 일이 재밌더라. 지나야"

"와. 일이 재밌다니 소름 돋네 그거……."

히히 하고 웃으며 다경은 마지막 밥 한 숟갈을 꾹꾹 눌러 크게 한술 떠서 먹었다. 자신도 일이 재밌다는 소리를 하게 될 줄은 몰랐다. 지나 말고 고등학교 때 친구들이라 사회생활 하며 친하게 지내는 동료들과 만나서 지금 회사 생활 하는 게 즐겁다고 말할 때면 다 똑같은 반응이 었다.

'어떻게 일이 재밌다는 말을 할 수가 있냐…….미쳤어 너.'

그 말을 들으며 호탕하게 웃던 것이 기억이 났다. 지금의 회사는 다 경의 자존감을 세워주는데 큰 공을 갖고 있기도 하다.

"진짜 다경씨는 우리 회사의 보물이야. 보물."

밝은 분위기와 함께 수직 문화보다 수평 문화를 지향하는 지금의 회 사는 지독한 가스라이팅을 당해왔던 다경에게 이런 칭찬을 아낌없이 퍼부어주었다. 이 칭찬들을 다경이 온전하게 진심으로 받아 드리는 데 까지 딱 3년이 걸렸다. 2년 반 동안 겪었던 모진 말과 상처들은 쉽게 씻겨 내려가지 않는다. 가끔 다경은 여전히 실수할까 봐 조마조마하고 상사가 자신을 부르면 무언가 잘못된 것은 아닐지 그만두라고 하면 어 쩌지 하는 마음이 드는 날도 있다. 하지만 이전과 다른 것이 있다면 부 정적인 생각을 '어쩌면 성과가 괜찮았다는 이야기일 수도 있어'라는 긍정적인 생각으로 고치려고 한다는 것이었다. 퇴사를 하며 회사 건물 을 걸어 나오던 순간에는 후련하면서도 앞이 캄캄했다. 다경은 안정적 인 직장에서 직급을 점점 올라가야 할 30대에 내가 과연 취직을 할 수 있을까 하는 생각에 지나의 가게에서 울었던 것도 있었다. 그렇게 앞 이 캄캄한 순간들 속에서도 다경은 가족에게만은 이 사실들을 알리지 않았다. 하물며 퇴사를 했다는 것조차도 숨겼다. 그러던 중 군대에서 첫 휴가를 나온 막냇동생을 위한 가족 식사 자리가 마련되었다. 이 핑계 저 핑계 잘 되면서 본가에 가지 않았지만 이것만큼은 빼기가 조금 그랬다. 10살 정도 나이 차이가 나는 막냇동생은 다경을 정말 잘 따랐다. 군대에서 받은 첫 월급으로 큰누나 선물도 샀다면서 휴가 때 줄 테니까 기대하라던 목소리에 거절할 수 없어 본가에 올 수 밖에 없었다. 결국 직장 생활이 많이 바쁘냐, 얼굴 보기 힘들다고 말하는 엄마의 말에 사실대로 털어놓았다.

'거기 꼭 가고 싶다고 할 때는 언제고 이제 와서 그만둬?'

다경이 부모님에게 퇴사를 말하지 않은 이유는 이런 반응 때문이었다. 무어라 말할지 눈에 보였기에. 그렇다고 해서 상사가 이렇게 나를 힘들게 했다고 말을 하는 것도 싫었다. 자존심일 수도 있고, 장녀로서 부모님 마음을 멍들게 만들고 싶지 않았으니까. 반응은 예상했던 대로였다. 그 좋은 회사를 왜 나오냐고. 너 이제 나이가 30이라고. 마냥 어린 나이가 아닌데 대체 어쩌려고 그런 선택을 했냐고. 걱정 어린 말들은 아프기만 했고 도움이 되지는 않았다. 깊은 한숨은 무거운 돌이 되어 가슴에 쌓였다. 물론 부모님에게 상사가 자신을 얼마나 폭언을 뱉었는지 이야기 한다면 잘 그만뒀다고 이야기 하실 분들이라는 건 알고 있었다. 그렇지만 아무 말 하지 않더라도 알아주기를 바랐던 마음도 있었기에 묵묵히 밥만 가득 퍼서 입안에 넣었다. 그러면서도 혹여나 눈물이 떨어질세라 고개는 푹 숙인 채였다. 부모님이 자신을 얼마나 믿고 있는지, 자신을 얼마나 사랑하는지는 누구보다도 잘 알았다.

그런 부모님의 기대를 깨트리고 싶지 않았기에 2년 반이라는 긴 시간 동안 어떻게든 회사를 다니려고 했었던 걸지도 모른다. 다경은 이번에 그만두면 엄마가 무어라 할까. 아빠는 무어라 말씀 하실까 생각하면 답답한 마음에 눈을 꾹 감고는 했었다. 회사에서 혹여 소리 내 울까봐, 울지 않기 위해 터득한 자신만의 방법이었다. 그렇게 계속 참고 또 참았다.

'회사 다니다가 좋은 사람 만나서 결혼하고, 그러다 애 낳고 키우면서 다들 잘만 사는데 너는 뭐가 그렇게 힘들어서 그만두긴 그만둬?'

서럽다는 말로는 표현이 다 되지 않는 감정이 밀려왔다. 제대로 된 효도를 많이 해왔던 것은 아니었지만, 그래도 나름 좋은 딸로 노력을 많이 했다고 생각했는데…… 어떻게 이렇게 동생들 앞에서 나를 몰아세우는 말들로 상처를 줄까. 아직 상처가 다 아물기도 전인데, 얼마나 다쳤는지 보자면서 그 상처를 헤집어 놓은 느낌이었다. 다경은 당장이라도 뛰쳐나가고 싶은 마음을 억누르고 천천히 이야기했다.

'그 회사를 더 다녔으면…… 난 죽었을지도 몰라 엄마.'

다경의 말에 일순간 조용해졌다. 부모님들 또한 당황한 표정으로 쳐다보는 것이 느껴졌고, 동생들 또한 무슨 말인가 싶어 다경을 쳐다보았다. 다경은 목 끝까지 차올라 버린 서러움을 터트리며 말했다. 나는 피해자라고. 너무 힘들었다고. 나를 바보 취급하고 머저리 취급하는 상사 밑에서 2년을 넘게 숨도 제대로 못 쉬면서 일을 했다고. 너는 왜 그렇게 멍청한 거냐는 질문에 멍청해서 죄송하다고 고개가 땅에 닿을 만큼 숙이면서 사과를 해야만 했던 내 마음을 아냐고. '내가 가끔 회사 생활 힘들다 그러면 엄마 뭐라 그랬는지 생각나? 다들 그렇게 회사 다닌다고 했어. 그것도 못 참으면 아무것도 못 한다고. 그래서 나도 참으려고 했는데…… 정말 참으려고 했는데…… 거기 더 있으면 이 자리에 나는 없었을 거야.'

그 말을 끝으로 너나 할 것 없이 모두가 다경과 함께 엉엉 울었다. 아버지는 그 자리에 더 있기가 힘들었는지 방으로 들어가면서 다경의 어깨를 두어 차례 툭툭 두들기는 것의 위로를 보냈다. 그 투박한 위로에 다경은 더욱 목 놓아 아이처럼 울었다. 다경의 엄마는 그녀를 꼭 끌어안았다.

'잘했어. 잘 나왔어. 너 그런 줄 알았으면, 다니지 말라고 했을 거야. 아니, 내가 찾아서 그 사람 머리채라도 잡고 때려줬을 거라고! 어떻게 키운 내 소중한 딸인데…… 얼마나 예쁜 내 딸인데……'

다경은 자신보다 더 속상해하는 엄마를 보면서 이상하게 마음이 놓였다. 나 소중한 사람이었구나 하고. 잃어버렸던 자신의 조각을 조금씩 찾아가는 기분이 들었다. 그 날 그렇게 온 가족이 눈물바다가 되어 울지 않았더라면 다경의 마음이 회복하는데 더 오랜 시간이 걸리지 않았을까 싶다. 가족 모임 이후 본가에 들어오라는 부모님을 말리는 데 진땀을 빼긴 했다. 아무래도 그런 일이 있었으니, 자경의 정신건강이 걱정되는 마음에 말을 한 것 같았지만, 다경은 괜찮다고 거절하고는 더 빨리 취직하기 위해 열심히 이력서를 넣었다. 보란 듯이 성공해서 부모님들을 기쁘게 해드리고 싶었고, 또 막냇동생이 준 선물과 함께 전해준 힘내라는 작은 카드를 보고 있자니 마음이 급해지기도 했다. 거기다 그 회사가 아니더라도 잘 살 수 있다는 것을 확신하고 싶었기에. 수십장의 이력서를 넣고 몇몇 군데 면접을 보며 지내던 중, 신생 브랜드의 경력직 마케터로 뽑히게 되었다. 그러나 뽑혔다는 기쁨도 잠시뿐이었다. 내가 경력이 많은 것도 아닌데, 이 회사에 도움이 될까 하는 생각을 하면서 걱정을 하던 다경의 등을 밀어준 것은 지나와 가게 손님들이었다. 4년 전 즈음 지나네 가게 메뉴들이 너무 맛있는데 홍보가 제대로 되지 않아 매출이 부진한 것이 영 아쉬웠다. 그래서 다경은 지나에게 온라인 마케팅을 해볼 생각이 없는지 물어보고는 그녀에게 방법들을 알려주었다. 자주 가게를 오는 단골들 중 가게를 하시는 사장님들도 옆에서 그 얘기들에 맞장구 치며 듣다가도 돈을 줄 테니 좀 자신도 마케팅 좀 해달라며 요청하는 분들이 있었다. 다경은 자신이 할 줄 아는 게 별로 없어서 도움이 될지 모르겠다는 말을 입에 달면서 돈 받기를 한사코 거절했다. 그러면서도 단골 사장님들이 물어오는 마케팅 질문들에 착착 대답해 갔다. 그러던 중 지나의 가게는 SNS에서 맛집으로 소문이 나면서 가게에 손님들이 줄을 설 정도가 되었다. 지나 스스로가 이제 더 마케팅 안 하고 편하게 장사하겠다고 선언하지 않았더라면, 어쩌면 지금쯤 2호점이 생겨나지 않았을까 하고 근처에서 가게를 하시며 영업이 끝나면 한잔하러 오시는 단골 사장님들과 한 번씩 얘기가 나오기도 할 정도였다. 근처 가게 사장님들도 다경이 알려준 마케팅 방법 덕분에 조금씩 오르는 매출을 느꼈다 보니, 다경이 잘할 수 있을까 하는 걱정을 갖고 있는 것을 그저 인사치레 잘할 수 있다고 말하는 것이 아니라 정말 잘할 것이라는 앎기에 진심으로 응원을 해줬다. 그리고 다경은 현재 회사에서 3년 차로 몇 달 전 조기 승진으로 대리직을 달기까지 하였다. 여전히 자신이 이렇게까지 대우를 받아도 되는 걸까 하는 의심이 될 때가 있지만 그럴 때마다 자신이 이뤄낸 것들을 돌아보며 스스로에게 선물을 주기로 마음 먹었다. 그래서 죽기전에 해봐야 할 버킷리스트를 만들어서 유럽 여행부터 프리다이빙과 패러글라이딩 등 다양한 체험을 하나둘 이뤄가기 시작했다. 그것만으로도 굉장한 성취감이 느껴졌는데 재미까지 붙으니 이보다 더 즐거운 삶이 있을까 하는 생각이 잠깐잠깐 하게 되는 요즘의 다경이다.

"지나야."

"응?"

"나 지금 행복해. 특별한 날이 아닌 순간들 조차도 특별해지는 요즘인 것 같아."

"요즘 행복하다는 말 자주하네 너? 덕분에 나도 기분 좋아진다."

다경은 얼굴의 미소가 피어올랐다. 추억보정이라고 해서 과거의 기억들이 미화 되는 순간들이 있다. 5년 전 그 때는 정말 죽을 것만 같았다. 그게 사실이었고 변함없는 진실이라 할 수 있다. 하지만 5년이라는 시간이 흘러서 그런지 다경은 그 때 그래도 정말 열심히 살았던 거 같다며 힘들었지만 참 치열하게 살았구나 하면서 자기 자신이 기특해진다. 그렇다고 그 때로 돌아가겠냐고 물어본다면 절대 아니겠지만. 그 시간들을 되새기며 이야기를 나누고 있으면 어느새 단골손님이 들어온다.

"어이구! 다경이! 역시 여기 있었구면. 저번에 새로 오픈한 매장 플레이스 등록? 그거 나 했는데, 제대로 한 거 맞는지 좀 봐줄 수 있나?"

"안녕하세요. 양 사장님! 네, 핸드폰 주시면 바로 도와드릴게요."

추억에 잠겨 있던 두 사람의 이야기는 그렇게 마무리가 되었다. 다경은 지난주부터 온라인 사이트에 가게 등록을 못해서 절절매고 계신 야채가게 사장님에게 옆자리를 내주고는 며칠 동안 내내 가르쳐 드렸던 얘기를 다시 해주면서도 짜증 난 기색이 하나 없다. 지나는 가게 문은 오후 10시부터라며 투덜거리면서도 그 둘을 위해서 커피 한 잔 서비스로 주겠다며 오픈 주방으로 들어갔다. 따스한 봄 날씨가 살짝 열려있는 창문을 통해 들어온다. 다경은 양 사장님 일만 좀 도와드리고 이후에 함께 수영을 다니는 크루들과 모여 한강을 갈 예정이었다. 주말이 끝나면 견뎌내야 하는 회사 생활에 벌벌 떨며 아무것도 못 하던 그때와 다르게 한강에서 마음 편하게 여유를 즐길 수 있는 주말이라는 것에 다경은 더없이 행복함을 느낀다. 그러면서도 아주 평범하고 평범한 주말의 한 자락이라고 살며시 생각하며 다경은 웃었다.

# 대만 가족여행

김기완

**김기완**  낯선 환경에 쉽게 적응하지 못하고 불안감을 느낀다. 부모님, 여동생과
함께 살고있다. 맛있는 음식을 먹는것을 좋아하고 새로운 경험을 해보고
자 노력한다.

대만에서의 첫 밤은 어둡지만, 여러 불빛이 도시를 밝혔다. 커다란 전등이 아래에서 위로 원색을 사용한 중국어 광고판을 비추었다. 대만 사람들은 과묵하며 평온한 모습을 보였다. 환하게 빛나는 광고판에 의지하며 길을 찾아갔다. 동남아에 주로 있는 야자수가 자주 보였다. 겨울이지만 따스한 날씨 속에서 우리 가족은 야시장으로 이동하기 위해 길을 나섰다. 하지만 퇴근 시간이라 바삐 움직이는 사람들과 자동차보다 많은 오토바이는 불안감을 유발했다. 서둘러 버스를 찾아보지만 이미 출발한 뒤였다. 이번에는 한쪽 플랫폼에서 기다렸지만 반대쪽에서 버스가 출발했다. 첫날부터 일이 잘 풀리지 않는다. 기차놀이를 하듯이 우리 가족은 줄줄이 여러 플랫폼을 전전했다. 안 그래도 많은 사람으로 인해 더욱 심란해지었다. 이런 과정을 반복하니 드디어 버스를 탈 수 있었다. 버스 내의 획일화된 의자들과 얇은 창문은 차가운 분위기를 주었다. 한국과 같은 조용한 분위기는 친근감보다는 차가움만 더해갔다. 버스는 무엇이 그리 급한 것인지 급발진과 급정거를 반복했다. 그런 가운데 대만 사람들은 차분하면서도 차가운 표정을 유지하고 있었다. 고층건물과 커다란 원색 광고판이 창밖에서 빠르게 지나갔다. 한두 정거장을 이동하다 보니 반대 방향으로 이동하고 있음을 깨달았다. 서둘러 버스에서 내렸다.

시간이 이미 늦어 야시장은 포기하기로 했다. 다행히도 호텔에서는 그리 멀리 떨어져 있지 않아 걸어서 돌아가기로 했다. 밤이 많이 어두워서 빌딩들이 더욱 웅장하고 두렵게 느껴졌다. 나는 낯선 환경속에서 심란해졌다. 반면 부모님은 아쉬운 듯한 마음을 보이지만서도 차분한 모습을 유지했다. 아버지는 여느 때처럼 괜찮아 보였다. 어머니는 오늘도 뭔가 자신도 모른 채 감정을 숨기고 있는 모습이었다. 뭔가 불만 가득한 모습이지만 아닌 척 힘쓰는 모습이었다. 혹시 여행 기간 감정이 쌓이고 쌓여 한꺼번에 폭발하지는 않을지 걱정이 되었다. 여동생은 무엇이 그리 신난 것인지 대만의 여러 모습을 보며 이리저리 떠들며 들뜬 마음을 감추지 못했다. 얼마 지나지 않아 호텔 앞에 도착했다. 나는 속이 좋지 않아 먼저 호텔에 들어갔다. 부모님과 여동생은 밖에서 식사를 하기로 했다.

나는 혼자 호텔 방에서 창밖을 바라보았다. 낯선 환경이라 왠지 모를 불안감이 생겼다. 바삐 움직이는 사람과 자동차를 바라보며 대만에 익숙해지고자 했다. 저 멀리 허름하고 낡은 집이 보이지만 가까운 곳에는 마천루 같은 빌딩이 세워져 있었다. 하늘은 어둡지만, 여러 불빛이 밤을 너무 밝게 비추었다. 얼마 뒤 가족들이 돌아왔다. 나의 불안함과는 대비적으로 어머니는 배가 채워져서인지 한층 기분이 좋아 보였다.

그동안 우리 가족은 해외여행을 가보지 못했다. 하지만 근래 들어 연 2회 정도씩 아버지 주도하에 해외여행을 하고 있다. 이번 겨울에는 대만을 가게 되었다. 어머니가 이전 직장동료분들과 한번 대만 여행을 가본 적 있다. 그때의 기억이 좋은 것인지 이번에는 대만에 가게 되었다. 항상 여행을 하면서 느낀 점이지만 나는 여행을 그리 좋아하지 않는 것 같다. 여행을 갔다 와도 다시 돌아올 일상이 머릿속을 어지럽게 했다. 가족들과 같이 여행을 가더라도 나 혼자 동떨어진 채 즐기지 못한다는 생각이 머릿속 한구석에 남아 있었다. 낯선 환경에서 자꾸 이런저런 생각이 떠올랐다. 이번 여행은 가족들과 좋은 기억을 남기고 싶었다.

구름이 가득 끼어 어둑어둑한 날, 지우펀에 가기 위해 근처 역에 도착했다. 역에 도착하니 주변에 오목조목 여러 오래된 상가들이 붙어있는 풍경이 보였다. 상가들이 다닥다닥 붙어있어서 도로는 좁았다. 이런 좁은 도로를 크고 작은 자동차들이 지나가고 있었다. 나는 길을 찾기 위해서 안내판을 가만히 보고 있었다. 그런데 갑자기 어떤 할아버지가 영어로 말을 걸어오기 시작했다. 나는 지우펀에 가고 싶다고 말했고 할아버지는 친절히 영어로 알려줬다. 상당히 유창한 영어라 대만 사람들은 전부 영어교육을 의무적으로 받고 있는지 의심스러워졌다. 지우펀까지 이동하기 위해서는 버스를 타고 이동해야 한다. 역에서 버스 정거장까지 가는 길에 오래된 상가들을 보았다. 낮고 작은 동일 규격의 건물들이 다닥다닥 붙어 있었다. 오목조목한 것이 일본의 건물과도 비슷해 보였다. 대부분 건물은 오래되어 보였다. 검은 때가 많이 끼어있었고 담쟁이덩굴이 붙은 건물이 많았다. 균일하게 늘어선 작은 건물 사이의 차도로 버스, 자동차, 오토바이가 이동했다. 비가 조금씩 내리고 있어 오래된 건물들의 냄새가 느껴지는 듯했다. 오래된 상가 건물들을 지나 버스정류장에 도착했다. 버스를 타고 지우펀으로 이동했다. 구불구불한 산길을 오르고 올랐다. 울창한 숲과 바다가 보여 좋은 경관이었다. 버스는 아슬아슬한 산등성이를 달렸다. 감속해서 커브를 돌아야 할 것 같았지만 가속하면서 빠르게 커브를 돌았다. 이리저리 흔들려서 몸을 버스에 맡겼다. 숲이 울창한 산의 꼭대기 근처에 다다를 즈음 지우펀에 도착했다.

비가 추적추적 내려 안개가 짙었다. 저 멀리에는 바다가 보였다. 깊은 산속에 있는 작은 마을이지만 사람들은 인산인해를 이루고 있었다. 지우펀은 산꼭대기임에도 불구하고 수많은 목조 건축물이 보였다. 오래된 세월의 풍파를 이겨낸 목조 건축물은 주변 경관과 어울려 이변이 보이지 않았다. 다만 이변으로 보이는 점들은 너무 많은 인파였다. 수많은 상가와 작은 골목들이 이곳의 주 풍경이었다. 곳곳에 보이는 압도적 목조건축은 큰 볼거리였다. 가파른 경사에서 금방이라도 무너질 듯 아슬아슬하게 건물들이 세워져 있었다. 몇 번 점프를 하면 무너지지 않을까 싶었다. 아슬아슬한 목조건물들과 바다와 산이 어울려 장관을 이루었다. 아버지는 카메라로 이곳저곳을 찍느라 바빴다. 가족들과 어디 나들이를 가면 아버지는 사라지기 일쑤였다. 어디 계신 지 열심히 찾아보면 카메라로 무언가를 가만히 찍었다. 대만에 와서도 여러 카메라 장비로 장관이라 할만한 지우펀의 풍경을 담았다. 동생은 여행 시작부터 지금까지 믿기지 않는 기력으로 높은 텐션을 유지했다. 원래 가만히 땅만 쳐다봐도 즐거워하는 사람이라 지우편의 풍경에 잔뜩 신난 모습이었다. 아버지가 여러 목조건축물 사진을 찍느라 어머니와 단둘이 오랜 시간 기다리게 되었다. 어머니의 표정을 보니 점점 부풀어오르는 풍선처럼 화가 차오르시는 것 같았다. 나는 주변 경치 이야기를 하며 어머니의 관심을 끌고보았다. 잠시 후 사진을 찍고 돌아온 아버지와 동생이 화난 어머니의 표정을 보고 당황해했다. 서둘러 숨을 돌릴만한 곳을 찾아보았다. 4층 정도의 찻집에서 가족들과 차를 마시기로 했다.

가족들과 천천히 차를 마시며 주변 경관에 취해보고자 했다. 하지만 어머니가 무엇이 급한 것인지 혼자 급하게 마시더니 차를 동 내버렸다. 한국에서의 습관을 버리지 못해 얼른 다른 곳으로 이동하자고 조바심을 냈다. 혼자 조용히 경치를 감상하고 싶었지만, 점점 경치에 먹구름이 끼는 것처럼 내 눈에 들어오지 않게 되었다. 점점 마음 한구석에서 숨겨놓았던 일상의 불안이 수면위로 모습 드러내기 시작했다. 이곳까지 와서 왜 이렇게 서두르느냐고 어머니한테 화를 내어보지만 이미 차도 동 냈고 자리를 뜰 수밖에 없었다. 아버지도 아쉬운 표정을 보였다. 동생은 그래도 활기찬 모습을 유지했다. 처음 왔을 때 느낌과 다르게 돌아가는 풍경은 사뭇 달라졌다. 그렇게 고약하게 느껴지지 않던 취두부 향기도 더욱 고약하게 느껴졌다. 보이지 않던 골목 속에서 추위에 떠는 고양이도 보였다. 그리고 여행을 와서 다투는 관광객들도 눈에 보이기 시작했다. 축 처지고 불안한 마음을 안고서 어두운 밤 버스에 올라탔다. 비가 더욱 거세게 내리는 듯했고 창밖 풍경은 차갑게 느껴졌다.

대만의 유명 음식점 '딘타이펑'이라는 곳에 오게 되었다. 오래된 음식점임에도 모바일 예약, 주문 시스템을 지원했다. 어머니가 고기를 먹지 못해 항상 그렇듯이 고기 없는 메뉴를 물어보고 찾는 데 애를 먹었다. 영어로 하나하나 고기가 있는지 물어보고 혹시 고기로 우려낸 국물이지는 않은지도 확인했다. 다행히 직원이 영어가 통해서 큰 문제는 없었다. 이후 주문한 딤섬이 먼저 나왔다. 지금까지 먹은 어느 딤섬보다 맛있었다. 얇은 만두피가 육수를 가득 머금고서 딤섬의 형태를 유지했다. 살짝 만두피를 찢어서 육수를 먼저 마시고 한입에 만두를 먹게 되면 본연의 재료들이 상냥하게 입안에서 풍겼다. 이후 한국에서 홍콩식 딤섬을 먹어봤지만, 이곳에서의 맛과는 비교가 되지 않았다. 보통 여행을 오면 많은 부분에서 아쉬움을 느끼고 돌아갔다. 하지만 이 딤섬 하나로 큰 경험을 주었다. 다른 음식들도 재료 본연의 맛을 살리면서 자극적인 느낌을 주지 않았다. 오이 반찬도 아삭아삭한 식감을 잘 유지했다. 모든 음식이 차분하게 제 역할을 하고 있었다. 음식의 정직한 맛이 대만 사람들의 정서를 대변하고 있는 것 같았다. '딘타이펑'에서의 음식이 전부 맘에 들었는지 항상 침울해 보이던 어머니의 얼굴도 잠시 생기가 돌기 시작한 거 같았다. 아버지와 동생은 식사 전후나 생기가 도는 얼굴을 하고 있었다.

햇살이 따사롭게 내리쬐는 날 융캉제 공원에 왔다. 주변에 검은 때가 낀 건물들이 모두 하나같이 담쟁이덩굴을 두른 채 자연과 하나가

된 느낌의 거리였다. 건물을 짓더라도 초록빛 자연이 이곳의 원래 주인임을 잊지 않은 채 자리를 따로 남겨둔 느낌이었다. 그런 가운데 아침 일찍임에도 불구하고 사람들이 길게 줄을 서있는 곳을 발견하게 되었다. 전문 파티쉐가 운영하는 디저트 가게였다. 주방이 대부분을 차지하는 조그마한 가게였다. 안에는 누가 크래커를 산더미처럼 쌓아두었다. 이미 많은 사람이 올 것을 알고 있었다는 듯이 포장지를 줄줄이 준비해 놓고 있었다.

누가 크래커의 맛은 상상 이상이었다. 한국에서 먹었던 것과 다르게 부드러운 마시멜로 같은 크림이 짭짤한 크래커와 어울려 궁합을 맞추었다. 너무 달지도 않고 짜지도 않은 맛이 먹어도 먹어도 질리지 않았다. 손에 딱 잡히는 크기와 크래커의 누런빛에 더욱 먹음직스러웠다. 이러다가는 전부 먹게 될 것 같아 얼른 손을 멈추었다.

대만의 허우통에는 고양이 마을이 있다. 과거 탄광 마을이 있던 곳으로 무슨 연유인지 고양이가 잔뜩 있었다. 역에서부터 고양이가 곳곳에서 식빵을 굽고 있었다. 오토바이 위에서도 상가 입구에서도 광장 한가운데에서도 곳곳이 제빵소인 것처럼 식빵을 굽고 있었다. 사람이 다가가도 무서워하지 않고 달아나지도 않았다. 이곳 사람들은 과거에 탄광 마을임을 내세우기보단 고양이 마을로 정체성을 다지고 있었다. 곳곳에 고양이 관련 물건을 파는 곳이 있었고 고양이 빵도 있었다. 철도를 경계로 커다란 광장과 오래된 산동네가 나누어져 있었다. 어느 곳이나 전부 고양이가 가득했다. 설마 이런 곳에도 있겠어 싶을 만한 곳에도 있었다. 동생이 고양이에게 먹이를 주고 싶다고 츄르를 사가지

고왔다. 고양이들은 츄르를 파는 가게임을 알고 있다는 듯이 그곳에서 재롱을 부리고 있었다. 동생과 나는 고양이에게 먹이를 주면서 마음이 편안해짐을 느꼈다. 어머니에게도 먹이를 주라고 했다. 3번 거절 끝에 결국 츄르를 집었다. 하지만 어머니의 손길이 거칠었던 것인지 아까까지는 잘 먹던 고양이들이 입 앞까지 츄르를 내밀어도 먹지를 않았다. 츄르를 코앞에 묻혀도 핥지도 않았다. 어머니는 오기가 생긴 것인지 다른 고양이를 노렸다. 저 멀리 구석에 자는 고양이에게 다가갔다. 츄르를 들이밀어 보지만 관심이 없어 보였다. 저 다리 밑 구석에서 식빵을 굽고 있는 고양이에게도 츄르를 들이밀었다. 근데 고양이들이 단합이라도 한 것인지 하나같이 입에 대지도 않았다. 어머니는 아쉬운 표정을 보였다. 그러고는 남은 츄르를 쓰레기통에 버렸다.

'모닝콜'이라는 대만 식당에 왔다. 이 식당은 무슨 배짱인지 오전밖에 영업을 하지 않는다. 아침 식사만 제공하고 그날 장사는 접는다. 주먹밥과 두유를 팔고 있어 각각 먹어보았다. 주먹밥은 길쭉한 바 형태로 손에 딱 잡히는 크기였다. 두툼한 찹쌀밥으로 설탕을 잔뜩 뿌린 밀가루 튀김가루를 감쌌다. 한입 먹고 두 입을 먹으니, 맛이 다르게 느껴졌다. 찐득찐득한 찹쌀밥이 아침의 허기짐을 차분히 채워주었다. 그리고 밥만으로는 심심한 입을 의외의 달콤한 속으로 토핑되는 것이 처음 먹어보는 조합이었다. 한국에서 밥을 먹을 때 단것과 먹은 경험이 없기에 처음엔 아주 낯선 맛이었다. 하지만 두입부터 그 맛이 익숙해지면서 포만감을 자극 없이 채워주어 아침 식사로 딱 맞았다. 아버지와 동생도 처음에는 갸우뚱하더니 두입부터 맛있게 먹기 시작했다. 두유는 그렇게 특별한 맛은 아니었다. 하지만 집에서 직접 만든 두유의 맛이 났다. 전혀 걸쭉하지 않으며 고소한 콩의 맛이 잘 느껴졌다. 따뜻할 때 먹어도 차가울 때 먹어도 위에 무리가 전혀가지 않을 것 같았다. 설탕을 전혀 넣지 않아 콩의 고소함만이 남은 두유였다. 주먹밥이 너무 달다 싶을 때 마시면 제격이었다. 콩의 고소함만으로 입을 중화해 주어 두유의 역할이 확실히 해내었다. 아버지와 여동생은 아무 말 없이 아침 식사를 차분히 즐겼다. 어머니는 주먹밥에 단맛에 불만이 있었는지 투덜투덜했다. 가만히 잘 먹어보면 괜찮지 않으냐고 말을 해도 한번 마음에 들지 않으면 절대 생각을 고치지 않았다. 나도 한입에는 이게 무엇인가 싶은 주먹밥이었지만 두입부터는 익숙해지는 맛이었다. 한 입 더 먹어보라고 말해도 고집을 꺾지 않고 입에 대지도 않았다. 그러더니 두유는 입맛에 맞았는지 후루룩 들이마셨다. 어머니의 한입 먹은 주먹밥은 내 주머니에 넣었다. 어머니는 그깟 주먹밥 버리라고 심술을 부렸다. 하지만 몇 시간 뒤 아까 챙긴 주먹밥을 다시 꺼내 먹자 맛있어 보인다며 한 입만 달라는 어머니였다. 도통 갈피가 안 잡힌다.

마지막 여행 날 '딘타이펑'을 다시 먹으러 왔다. 이번엔 딤섬만 먹기로 했다. 역시나 인기 음식점이라 줄이 너무나 길었다. 다행히 오픈 직후라 대기시간은 40분 정도밖에 되지 않았다. 카운터에서 번호표를 받고 부모님을 찾아보았으나 모습이 보이지 않았다. 이리저리 찾아보아도 모습이 보이지 않았다. 특히나 이국적인 풍경이 거센 장소라 걱정이 되었다. 그래도 부모님이 대기시간이 지나면 돌아오리라 믿고 여동생과 근처 공원을 둘러보기로 했다.

공원은 정말 울창하고 아름다웠다. 햇살의 따사로움과 푸른색만 보이는 전경에 마음이 편안했다. 중앙에 커다란 연못과 작은 섬이 있어 벤치에 앉아 새들을 감상하기 좋았다. 따스한 햇볕이 몸을 달궈주고 마음속도 비춰주는 느낌이 들었다. 도시의 소음은 나무들이 막아주어 새들의 속삭임, 바람 소리와 물이 흐르는 소리만 들렸다. 평소에는 더러운 이미지가 있어 피했던 비둘기도 오늘따라 귀여워 보인다. 조깅하는 사람들 사이로 뒤뚱뒤뚱 걸어가는 모습이 앙증맞았다. 길을 걷다가 물웅덩이를 발견하고는 갑자기 뛰어든다. 그러더니 부리로 몸 이곳저곳을 닦으며 목욕을 시작한다. 멀리서 강아지가 다가올 것 같으면 잠시 물웅덩이에서 멀어졌다. 지나갔다 싶으면 다시 물웅덩이로 돌아왔다. 한참을 목욕에 집중하더니 다시 뒤뚱뒤뚱 걸어가기 시작했다. 저 멀리 벤치에 노인이 앉아있는 모습이 보였다. 공원의 모습과 노인의 모습은 옛날 유럽의 수채화 그림을 보는듯했다. 여동생과 함께 조용히 공원 벤치에 앉아 힐링을 취했다.

시계를 보니 이제 대기시간이 다된 것 같아 다시 음식점으로 돌아갔다. 횡단보도 건너편 저 멀리 부모님의 모습이 보인다. 근데 뭔가 불길한 분위기가 여기까지 느껴졌다. 아버지는 멀리서 바디 랭귀지로 어머니가 화가 났다는 표시를 보냈다. 나는 마음의 준비를 했다. 어머니는 걱정이 많다. 원래 예민한 성격이기도 하나 가끔 크게 화를 낼 때가 있다. 그때마다 주체가 안 되어 나는 곤란했다. 횡단보도를 건너고 부모님과 가까워졌다. 어머니의 얼굴은 화로 인해 풍선처럼 부풀었다. 양

팔은 부들부들 떨리고 있었다. 나는 끓고 있는 주전자를 보는 듯 불안했다. 어머니는 대만이 떠나갈 정도로 큰 소리로 어디를 갔다 왔냐고 소리를 질렀다. 주변은 낮은 건물이 다닥다닥 붙어있었기에 메아리가 울렸다. 음식점 앞에는 사람이 많았기에 화가 나기보다는 부끄럼이 먼저 모습을 드러냈다. 길 가던 대만 사람들과 관광객들이 우리를 쳐다보았다. 한국어가 대만 사람들에게 안 좋은 인상을 심어주지는 않을까 걱정이 되었다. 이런저런 부끄러움을 느끼고 있다 보니 어머니의 마음에 공감하지 않고 주변 시선만 신경 쓰고 있음을 깨달았다. 나는 조용히 어머니의 마음을 이해해 보기로 했다. 여동생과 나는 부모님 모습이 보이지 않아 잠시 공원에서 산책을 다녀왔다고 말했다. 어머니는 정말 주변을 잘 찾아본 거 맞냐고 음식점 바로 앞에 있었는데 어떻게 찾을 수가 없냐고 말하셨다. 나는 말이 되지 않아 주변 풍경을 한번 돌아보니 상황이 이해되었다. 대만의 건물들은 'ㄱ'로 되어있고 작은 기둥들이 건물의 앞부분을 지탱하는 경우가 많다. 부모님은 기둥 사이에서 서있었고 그래서 우리가 발견하지 못했었다. 이런 이야기를 말해도 어머니의 화는 풀리지 않았다. 국제 미아 납치부터 신고는 어떻게 해야 할지 걱정하셨었다. 여동생과 나 모두 다 큰 성인이고 그럴 일은 없다. 하지만 어머니 입장에서는 자식은 언제나 보호해야 할 어린아이였다. 어머니에게 이런저런 말을 해도 전혀 귀에 들어가지 않았다. 일단 식사부터 해야 할 것 같아 화가 난 어머니를 데리고 음식점 안으로 들어갔다. 어머니가 좋아할 채식 음식들을 평소보다 열심히 찾아보았다. 대만은 채식 문화가 참 잘 발달하여 있어서 다행이었다. 오이 반찬, 각종 나물 반찬을 주문했다. 빈 테이블에 맛있어 보이는 음식들이 하나둘 채워지니 삭막한 분위기가 조금씩 나아지는 듯했다. 식사를 하면서 어머니의 눈치를 계속 보면서 화가 풀렸는지 관찰했다. 음식이 한입씩 들어갈 때마다 표정이 점점 누그러지는 것 같았다. 식사가 끝났을 때는 만족한 표정이었다.

한국으로 돌아가는 날은 안개가 자욱하여 우중충했다. 비행기가 구름을 통과하니 맑은 하늘이 보였다. 눈 부신 햇살이 피곤해 보이는 가족들의 얼굴을 비추었다. 모두 피곤하지만 평온한 얼굴이었다. 가족들의 얼굴을 살피던 중 어머니와 눈이 마주쳤다. 어머니는 살짝 미소를 지어주며 눈을 감았다. 나도 그런 어머니를 보고는 안심하며 잠들었다.

# 나의 첫 번째 책

**발행** 2024년 7월 7일

**지은이** 권현정, 이순영, 조현지, 엄태경(글소리), 최현영, 이지영, 김기완

**라이팅리더** 현해원

**디자인** 윤소정

**펴낸이** 정원우

**펴낸곳** 글ego

**출판등록** 2019.06.21 (제2019-000227호)

**주소** 서울시 강남구 강남대로 118길 24 3층

**이메일** writing4ego@gmail.com

**홈페이지** http://egowriting.com

**인스타그램** @egowriting

**ISBN** 979-11-6666-512-7